D0522856

Ganz herzliche Grüße
aus Venedig.
Die bauen ja überall!

Renate Bergmann, geb. Strelemann, wohnhaft in Berlin. Trümmerfrau, Reichsbahnerin, Haushaltsprofi und vierfach verwitwet: Seit Anfang 2013 erobert sie Twitter mit ihren absolut treffsicheren An- und Einsichten – und mit ihren Büchern die ganze analoge Welt.

Torsten Rohde, Jahrgang 1974, hat in Brandenburg / Havel Betriebswirtschaft studiert und als Controller gearbeitet. Sein Twitter-Account @RenateBergmann, der vom Leben einer Online-Omi erzählt, entwickelte sich zum Internet-Phänomen. «Ich bin nicht süß, ich hab bloß Zucker» unter dem Pseudonym Renate Bergmann war seine erste Buchveröffentlichung – und ein sensationeller Erfolg, auf den zahlreiche weitere, nicht minder erfolgreiche Bände und ausverkaufte Tourneen folgten.

RENATE BERGMANN

Besser als BUS *fahren*

Die **Online**-*Omi* legt ab

Rowohlt Taschenbuch Verlag

Originalausgabe
Veröffentlicht im Rowohlt Taschenbuch Verlag,
Reinbek bei Hamburg, August 2017
Copyright © 2017 by Rowohlt Verlag GmbH,
Reinbek bei Hamburg
Redaktion Tobias Schumacher-Hernández
Umschlaggestaltung any.way, Barbara Hanke / Cordula Schmidt
Umschlagillustration Rudi Hurzlmeier
Satz Stempel Garamond, InDesign
Gesamtherstellung CPI books GmbH, Leck, Germany
ISBN 978 3 499 29094 7

Guten Tag,

Sie wissen bestimmt schon, wer hier wieder schreibt, oder? Richtig. Renate Bergmann. Ich höre schon das Fräulein vom Verlag: «Immer erst schön vorstellen …»

Jajaja.

Ich lerne das!

Also, hier ist Renate Bergmann aus Berlin. Ich bin vierfach verwitwete Eisenbahnpensionärin und habe jetzt einen neuen Klappcomputer. Ach, Sie können sich gar nicht vorstellen, wie praktisch die Dinger sind. Ganz klein, wie mein Aktenordner, in den ich die Heirats- und Sterbeurkunden weggeheftet habe und auch die Bedienungsanleitung vom neuen Herd. Man klappt den hoch, und dann schreibt der sogar ohne Strom, nur alle paar Stunden muss man den Stecker einstöpseln. Das Gerät geht ohne Farbband, und man kann es überall mit hinnehmen – sogar in den Urlaub, denken Se sich das mal! Was ist denn jetzt los? Jetzt ist eine ganz andere Schrift! Ich werde noch verrückt. Immer wenn man denkt, jetzt klappt es, jetzt habe ich die Großmachtaste im Griff und es klemmt auch kein Buchstabe, ist wieder was anderes … aber so sieht es auch hübsch aus. Das lasse ich jetzt so und bitte Stefan, was mein Neffe ist, bei Gelegenheit, sich das mal anzugucken. Der hilft mir mit allem, was Strom hat und nicht in der Küche steht. Ach nee, was sagt man dazu, jetzt geht's doch wieder.

Apropos Urlaub, darum geht es nämlich. Neulich war ich mit meiner Freundin Gertrud in den Ferien. Nicht mit dem Bus wie sonst immer, sondern mit dem Dampfer auf dem großen Meer. Ich habe sie eingeladen. Drei Wochen Mittelmeer. Wissen Se, mitnehmen kann man nichts, wenn es mal so weit ist und man abtreten muss, und in unserem Alter – wir sind beide 82 –, ja, wer weiß denn, wie lange wir noch reisen können ohne Pflegekraft? Man muss das Leben genießen, solange man noch krauchen kann! Also sind wir los mit so einem Kreuzfahrerschiff und sind durch das Mittelmeer getingelt. Die fahren übrigens gar nicht über Kreuz, sondern eigentlich eine große Schleife. Es war ein Erlebnis, aber erholt habe ich mich nicht, dafür ist viel zu viel passiert. Wie sagt man immer? Wenn es ein schöner Urlaub war, braucht man hinterher zwei Wochen zum Ausspannen!

Wir hatten extra außerhalb der Schulferien gebucht, damit keine Kinder an Bord sind. Das war ein Schuss in den Ofen, sage ich Ihnen! Statt der Pennäler, die vielleicht sogar parieren würden, wenn man sie ausschimpft, waren Familien mit Kleinkindern auf dem Dampfer. Überall kleine Quengelgeister, wohin das Auge schaute. Und das Auge musste gar nicht schauen, die Ohren hörten es auch so. Himmel, nee! Was habe ich die Herrschaften mit Schwerhörigkeit beneidet in diesen Tagen! In dem Fall ist das kein Leiden, sondern ein Segen. Wir konnten nicht mal in den Schwimmingspool, denken Se sich nur! Da pullerten die kleinen Geister doch rein und machten einen Krach, dass man nicht mal am Rand auf der Liege in Ruhe lesen konnte. Aber da wusste ich mir zu helfen, warten Se es nur ab, ich werde Ihnen berichten. Entschuldigen Se, ich bin schon mitten beim Plaudern, dabei wollte ich doch nur «Guten Tag» sagen. Aber es war so eine herrliche Reise, dass es nur so aus mir herausprudelt ...

Unterm Strich war es schön, da kann man nicht meckern. Mir hat es vom ersten Tag an wunderbar gefallen. Bei Gertrud dauerte es ein bisschen. Wissen Se, sie hatte die ersten Tage ganz schlimm mit der Seekrankheit zu kämpfen. Die meiste Zeit trank sie Kamillentee und aß Zwieback, aber nicht mal das behielt sie bei sich. Sie hat vier Kilo abgenommen in drei Tagen, das flutschte besser als bei einer Kohlsuppendiät, und als wir zum Dinner an den Kapitänstisch eingeladen waren, da hing das neue Abendkleid, was sie sich extra im Katalog bestellt hatte, ganz trostlos an ihr herunter.

Manchmal ging es ein bisschen besser, da konnte sie aufstehen und traute sich sogar an Deck, aber die meiste Zeit hing sie über der Reling und ... Sie wissen schon. Aber das Personal war sehr verständnisvoll und wischte alles diskret weg, die haben so was ja öfter. Ich habe auch immer feuchte Reinigungstücher einstecken, und die brauchte ich auch, um Gertrud die Brille und die Mundwinkel sauber zu wischen. Heute haben se sich ja alle dumm, wenn man ins Taschentuch spuckt und abwischt, deshalb habe ich die Tücher angeschafft. Die sind sehr praktisch!

Ab der zweiten Woche war Gertrud wieder ganz auf dem Damm und gockelte mit den Männern rum. Ich muss mir noch überlegen, ob ich DAS alles aufschreibe, was da vorgefallen ist, nicht, dass Gunter Herbst, ihr Lebensgefährte, davon Wind bekommt. Eine Renate Bergmann ist schließlich eine verschwiegene, gute Freundin, die noch weiß, wie Diskräzion geschrieben wird, nicht wahr? (Sie ließ den Bordarzt ihre Brust abtasten, als sie erfahren hat, dass er alleinstehend ist. DIE BRUST ABTASTEN! Denken Se sich das mal! Er hatte aber kein Interesse und gab ihr nur Hustensaft mit, den sie beleidigt in der Toilette runterspülte. Das kann ich aber alles nicht aufschreiben, wundern Se sich also später nicht, wenn ich von einem Fräulein Doktor berichte.)

Und auch sonst lief nicht alles glatt. Wir waren drei Wochen unterwegs und haben wirklich jeden Winkel des riesigen Schiffes abgesucht und an jede Kabinentür geklopft, aber Sascha Hehn – Sie wissen schon: der schmucke Chefkellner von dem «Traumschiff» – war gar nicht an Bord! Das war Betrug, auf dem Prospekt vom Reisebüro war er nämlich drauf. Immerhin war das doch sein Schiff! Gertrud und ich hatten extra die Videobänder von ihm dabei, damit er ein Autogramm draufschreibt. Alles Halunken, man muss so aufpassen, sonst wird man über den Tisch gezogen wie auf einer Kaffeefahrt. Aber die

Sache mit Herrn Hehn fand doch noch ein versöhnliches Ende. Mehr verrate ich jetzt noch nicht, da müssen Se schon bis ganz zu Ende lesen.

Ach, es war alles sehr aufregend. Wir bekamen Bändchen um das Handgelenk. Unsere Gruppe hatte rot, damit kriegten wir Essen und alle Getränke umsonst – nur Korn hatten se nicht! Ich habe diese bunten Mixgetränke mit Obst drin probiert, aber ich blieb dann doch bei meiner eigenen Kornreserve aus dem Flachmann, den ich immer dabeihabe. Hugo hin oder her – wenn etwas riecht wie Haushaltsreiniger, dann trinkt eine Renate Bergmann das nicht. Die andere Gruppe hatte grün, die durften nur umsonst essen und mussten ihr Bier bezahlen. Erst dachte ich ja, es wäre so ein modernes SOS-Armband, mit dem alte Leute den Pflegedienst alarmieren können, und wollte mich schon entrüsten, aber der nette Kellner, der Herr Pablo, erklärte es uns ganz genau.

Apropos rotes Bändchen: Das Essen hätten Se sehen sollen! Ein Gedicht! Meist gingen wir Büffet essen, weil es so wunderschön angerichtet war. Geschnitzte Melonen und Schinkenröllchen und sogar Schwäne aus Eis. Wir mit den roten Bändern waren Gruppe eins, das hieß zeitig Mittag und Abendbrot. Die Grünen mussten warten, bis wir fertig waren. Die kamen erst danach an die Tröge. Wir durften mit unseren roten Bändchen auch in die Restaurants und dort Menü essen und alles, was auf der Karte stand, aber das dauerte Stunden, und es waren nur so kleine Portionen, dass man immer mehr Hunger bekam. Aber wo Ilse mir doch extra das schöne neue Abendkleid genäht hatte, wollten wir auch mal schick ausgehen, und wenn es im Preis mit drin ist, na, dann lässt man sich das nicht entgehen, oder? Man konnte ja Nachschlag nehmen.

Wir fanden sogar recht bald nette Reisegesellschaft, die Bömmelmanns aus Dresden. Gittl und Herbert, ein wirklich freundliches Pärchen. Ich will ganz ehrlich sein, sie waren eine nette Bekanntschaft, aber ich werde mich nicht wieder bei ihnen melden. Etwas merkwürdige Leute, die ihren Aufschnitt von zu Hause mithatten. Wozu hatten die denn die Bändchen? Man konnte nur den Kopf schütteln.

Gittl war um die 70 und, bis sie pensioniert wurde, Turnlehrerin. Sie hat das nicht ganz abgelegt und wollte uns jeden Morgen zur Gymnastik scheuchen. Ab der zweiten Woche, als Gertrud nicht mehr so oft speien musste, stichelte sie sogar gegen die. Nicht mal meine künstliche Hüfte zählte als Entschuldigung. Gittl wollte mit uns Hampelmann machen, Kniebeugen und Wassertreten – natürlich ganz früh am Morgen, als die Quengelkinder noch schliefen und wir den Schwimmingspool für uns gehabt hätten. Aber weder Gertrud, die sich nur bewegt, wenn die Schips alle sind, noch ich fanden viel Spaß an der Turnerei, sodass die Gittl allein sporteln musste. Sie machte sogar bei der «Passagierolympiade» mit und holte den zweiten Platz beim Minigolfturnier! Man muss dazu sagen, dass es nur zwei Teilnehmer gab, und der Sieger war Herr Knopfler. Er sitzt im Rollstuhl und ist blind, aber das weiß ja keiner, und Gittl ist sehr stolz auf ihren Pokal, den sie bekam.

Ach, die Wochen gingen so schnell rum! Wir machten Landgänge, jeden Abend war irgendwo ein Ball, es sang ein Seemannschor, man konnte Servietten und Handtücher falten lernen und Gesichter in Melonen schnitzen – ein bisschen war es wie im Altenheim. Sie hatten sogar ältere Herren angestellt, die einsame Damen zum Tanz führten und später auf die Kabine begleiteten … Sodom und Gomorrha! Sogar meine Gertrud war sich dafür zu schade, und das hat was zu bedeuten.

Sie merken, wir haben viel erlebt in der schönen Zeit. Ich habe den ganzen Schrank voll mit neuen flauschigen weißen Handtüchern, und im Froster ist Dauerwurst vom Büfett für bis Ostern hin!
    Dann werde ich Ihnen jetzt mal ausführlich Bericht erstatten und wünsche viel Vergnügen,

Ihre Renate Bergmann.

(Kommt da ein Punkt? Ich muss Ilse fragen.)

Machen. Ich sage immer: machen, machen, machen. Bereuen kann man später noch.

Man muss sich auch mal selber was wert sein und sich was gönnen. Das heißt nicht, dass ich mein Geld zum Fenster rausschmeiße. Schließlich bin ich nicht Wilma Biese, die jeden Vormittag vorm Edeka am Bäckerstand steht und Kaffee und zwei halbe belegte Brötchen für 4 Euro 20 verfrühstückt. Rechnen Se sich das mal durch, da gehen 20 Euro drauf im Lauf der Woche! Mehr sogar, die haben ja auch Sonnabend auf. Na, die Wilma hat es aber auch dicke. Ihr Mann war Zahnarzt und hat sich ordentlich was erbohrt im Lauf der Jahre. Wenn der wüsste, dass sie nun alles beim Bäcker verjubelt, der würde sich im Grabe umdrehen.

Nee, so eine bin ich nicht. Aber es war doch an der Zeit, sich mal eine schöne Reise zu gönnen. Wissen Se, ich bin durch die Verkettung glücklicher Umstände zu ein bisschen Geld gekommen. Die Bank hat einen Fehler gemacht! Das kam so … Nee. Das geht nicht, das kann ich Ihnen nicht alles noch mal aufschreiben.

Ich höre quasi schon das Fräulein vom Verlag in den Ohren: «Nein, nein, nein, Frau Bergmann. Keine Wiederholungen!» Da isse ganz streng mit mir und schimpft. Aber sie hat ja recht, wissen Se, die haben nur soundso viel Papier bestellt in der Druckerei, und wenn ich Ihnen jetzt hier über 50 Seiten erzähle, wie das kam, dass die von der Bank statt Sparbriefen aus Versehen Aktien für mich gekauft haben und ich auf einmal zwölf oder fuffzehn mal so viel Geld hatte wie vorher, dann rollen Sie mit den Augen, denken sich: «Jetzt wird se senil, die olle Bergmann», und blättern weiter.

Ich habe lange hin und her überlegt, was wohl mal werden soll mit meinen Kröten, und alles genau hinterlegt. Jeder, der für mich da war und sich um Renate Bergmann gekümmert hat zu Lebzeiten, wird bedacht. Aber trotzdem wollte ich mir auch was Schönes leisten, und zwar eine Kreuzfahrt mit meiner besten Freundin Gertrud.

Wie oft haben wir Weihnachten und Neujahr mit ein paar Bechern Restbowle vor der Flimmerkiste gesessen und «Traumschiff» geguckt! Schon die schöne Musik, ach, man bekam richtig Lust auf Sonne und Urlaub unter Palmen. Schon lange träumten wir davon, selber mal so eine schöne Reise zu erleben. Nun gab es keinen Grund mehr, noch länger zu warten. Wir sind beide über 80, ich bitte Sie. Da duldet so was keinen Aufschub! Wie schnell sitzt man im Lehnstuhl, kann nicht mehr und denkt sich: «Hätte ich doch bloß!», und ärgert sich.

Ich kann so was nicht leiden. Ich sage immer: «Machen, machen, machen – bereuen kann man immer noch.» Und sind wir doch mal ehrlich: Viel öfter bereut man Dinge, die man NICHT gemacht hat, als umgekehrt. Äh ... also, Sie wissen schon, die, die man gemacht hat.

Als Gertrud das nächste Mal bei mir zu Besuch war, erzählte ich ihr von meiner Idee. Gertrud ist ... nun, wie soll ich sagen ... ein bisschen lethargisch und nicht immer zu Unternehmungen aufgelegt. Sie hat es gern gemütlich und ruhig. Ich dagegen bin, sooft es geht, unterwegs. «Auf dem Sofa kann ich noch sitzen, wenn ich alt und klapprig bin, Gertrud», sage ich oft zu ihr, und dann guckt sie mich verständnislos an und sagt: «Renate, wir SIND alt!»

Umso überraschter war ich, dass sie sofort Feuer und Flamme war. «Auf *das* Traumschiff, Renate? Auf das richtige Traumschiff mit Sascha Hehn?» Ihre Augen leuchteten. Wissen Se, an regnerischen Herbsttagen, wenn man nicht rauskann, machen Gertrud und ich gern mal einen Filmenachmittag. Diese modernen kleinen Silberscheibchen sind ja so praktisch! Man muss nicht zurückspulen, und es ist ein 1-a-Bild. Gern gucken wir Peter-Alexander-Filme, aber ab und an auch Försterfilme oder Traumschiff mit Sascha Hehn. Natürlich nicht die Schmuddelfilme, die der auch gemacht hat, als er Geld brauchte. Obwohl Gertrud wahrscheinlich auch die angucken würde, aber so was kommt mir nicht ins Haus. Eine Renate Bergmann ist eine Frau mit Anstand und weiß, was sich gehört!

Wir überlegten den ganzen Nachmittag, wann es wohl am günstigsten wäre zu reisen. Am liebsten wäre mir ja der Winter gewesen. Wissen Se, wenn es hier so kalt und usselig ist, dann wäre ich gerne weg. Jeden Tag muss man das Treppenhaus wischen, weil die Nachbarn wieder alles dreckig gelatscht haben, und wenn es schneit, wer muss raus um fünf am Morgen? Es bleibt doch alles an mir hängen. Die sollten ruhig mal sehen, wie sie ohne mich zurechtkämen! Außerdem lag im Winter auch kaum Arbeit auf den Friedhöfen an, da verpasste man nichts. Ab und an den Schnee vom Stein wischen und das Laub aus den Wintergestecken lesen, fertig.

Andererseits war es auch nur wirklich sehr weit weg von hier warm um diese Zeit. Da musste man schon nach Afrika oder Südamerika fliegen, und, ganz ehrlich, dafür fühlte ich mich doch ein bisschen zu alt. Man muss da eine ganze Nacht lang mit dem Flugzeug fliegen, es gibt nur eine Toilette, die zudem noch eng ist wie ein Sarg, und dann die Zeitverschiebung … nee, das traute ich mir doch nicht mehr zu. Wir fassten den Mai ins Auge, da war es um das Mittelmeer herum zwar schön warm, aber noch keine Gluthitze wie im Hochsommer. Trotzdem wälzten Gertrud und ich die Kataloge, die ich mitgebracht hatte, und guckten uns erst mal alles an. Man muss ja schließlich wissen, was es überhaupt so gibt, nich wahr?

«Oder nach Granada? Gertrud! Nun hör doch mal zu, wenn ich mit dir rede!»

Ich blätterte in einem der vielen Reisekataloge, die wir vor uns auf dem Esstisch ausgebreitet hatten. Die Häkeldecke hatte ich abgenommen und ordentlich zusammengelegt in der Schrankwand verstaut. Auf dem Tisch habe ich immer eine Wachstuchdecke liegen. Wie schnell stößt man mal ein Glas um? Dann hat man das Theater! Das schöne Möbel muss doch geschont werden und darf nicht leiden, schließlich hat das alles viel Geld gekostet. Das waren ja noch D-Mark, als ich das gekauft habe. Und mit der Druckerschwärze der Kataloge muss man auch vorsichtig sein. Wie schnell saut man sich alles voll!

«Gertrud! Granada?», rief ich noch mal, und erst jetzt merkte sie auf.

So was macht mich ja verrückt, wenn ich etwas Wichtiges mit jemandem besprechen will und der mir nicht zuhört. Wissen Se, da lade ich sie schon ein auf eine Kreuzfahrt und bezahle allen Pipapo, und dann interessiert sich meine beste Freundin gar nicht richtig dafür?

«Was soll ich denn in Kanada? Du hast doch gesagt, wir wollen ins Warme. Kanada war neulich erst im Wetterbericht, und die sprachen von an die 30 Grad Miese.»

«Kanada? Kein Mensch spricht von Kanada. GRA-NA-DA, Gertrud. GRA-NA-DA!»

Herrje, die mit ihrem Hörgerät! Sie trägt das Ding, um Männer anzulocken, obwohl sie hört wie ein Luchs. Jetzt fragen Se sich sicher, wie das denn funktionieren soll. Passen Se auf: Gertrud denkt, Männer interessieren sich für die Technik und sprechen sie deshalb eher an. Nicht nur, dass sie sich die obersten Blusenknöpfe absichtlich abreißt und deswegen ständig verkühlte Bronchien hat, nein, sie trägt auch das Hörgerät vom Trödelmarkt deutlich sichtbar am Ohr. So ein Quatsch, die modernen Geräte sind alle so tief in den Gehörgang eingebaut, dass man gar nichts von denen sieht. Weil sie aber so ein Altgerät vom Schrotthändler hat, das ihr vor den Ohren baumelt und die Wörter gar nicht durchlässt, hört sie dann wirklich schwer.

Unmöglich, diese Frau! Ich schaute sie aus den Augenwinkeln an und dachte bei mir: Renate, vielleicht hatte Mutter doch recht. Die hat immer gesagt: «Halt dich von der Gans fern, das ist kein Umgang für uns.» Gertrud ist eine geborene Gans, müssen Se wissen. Gertrud Gans. Was haben wir sie geärgert in der Schule! Ich glaube bis heute, sie hat ihren Gustav seinerzeit nur geheiratet, damit sie den Namen loswird. Potter klingt zwar auch nicht viel eleganter, aber wenigstens hörten die Hänseleien auf. Zumindest, bis die Filme mit dem Zaubererkind in die Lichtspielhäuser kamen.

«Gertrud, wenn man bei dir nicht aufpasst, geht es dir wie der Frau aus Sachsen, die am Telefon Urlaub nach Bordeaux gebucht hat und sich dann wundert, als sie im Flieger sitzt und erfährt, dass es nach Porto geht. Du musst besser zuhören!»

«Wo liegt denn dieses Granada überhaupt? Und ist es da warm?»

Ich guckte im Klappcomputer beim Gockel nach. Wissen Se, die haben da sogar einen Atlas eingebaut. Es ist alles sehr praktisch und geht ruck, zuck – jedenfalls, wenn man sich nicht vertippt.

Die Idee mit Granada verwarfen wir sehr schnell wieder, denn es lag im Landesinneren von Spanien. Da war es zwar warm, aber man kam mit dem Kreuzfahrtdampfer schlecht hin. Und die Fotos sahen auch nicht schön aus, überall nur Staub, sandige Gegend und herrenlose Hunde. Nee, da konnte ich mit Gertrud nicht hin.

Da kam mir eine Idee. Ich holte die CD «Das Beste von den Flippers» aus meinem Schränkchen, und wir gingen die Liste mit den Liedern auf der Rückseite in Ruhe durch. Wir überlegten, wo man wohl hinfahren könnte.

Napoli, Barbados, Marbella, Mexiko, St. Tropez, Venedig, Lotosblume.

Ich guckte alles beim Gockel nach. Bei Napoli zeigte er Nudelsoße an, Lotosblume war keine Insel, sondern eine Blume (da hatte ich selber nicht aufgepasst, das muss ich zugeben, da hätte man draufkommen können), und Mexiko war eindeutig zu weit. Da hat man dann die Zeitverdrehung und kommt mit dem Schlaf, den Tabletten und dem Austretenmüssen ganz durcheinander, nee, das kam nicht in Frage. Gertrud und ich müssen ja beide unsere Tabletten schlucken, und da frage ich Sie – sollen wir uns einen Wecker stellen für nachts um vier, um unsere Blutdruckmittel einzunehmen? Und wo bekam man um die Zeit was zu essen her? Die schlafen bis in die Puppen auf so einem Dampfer, ich weiß das doch. Frühstück gibt es erst ab sieben! Ich muss immer einen Bissen zu essen haben, wenn ich meine Medikamente nehme, gerade bei den gelben, sonst kriege ich Reizmagen. Südsee und Mexiko kamen schon deshalb nicht in Frage.

Gertrud blätterte in einem der Kataloge und rief just in dem Moment, als ich «Venedich» in die Lexikonmaschine tippte: «Renate, ich hab's! Venedig, guck mal, ach … wie schöööööön …»

Der Gockel klugscheißerte, dass man das hinten mit G

schreibt und nicht mit CH, aber bitte. Eine Renate Bergmann lernt gern dazu.

Gertrud zeigte mir das Angebot, das sie gefunden
hatte. Die Reise sollte drei Wochen gehen, das war eine
gute Zeit, um sich auch anständig zu erholen. Man muss ja
bedenken, dass noch An- und Abreise hinzukommt. Dazu
die Vorbereitungen! Impfen, packen, die Gießdienste auf
den Friedhöfen organisieren, den Kühlschrank abtauen,
vorher noch mal sauber machen – man will schließlich
keine verdreckte Wohnung hinterlassen, falls unterwegs
was passiert und man nicht mehr wiederkommt –, da würden unterm Strich gute vier Wochen zusammenkommen,
wenn man alles mit einrechnete. Das war lange genug.

Ich muss sagen, Gertrud hatte es gut ausgesucht. Die
Reiseroute ging von Venedig aus durch das Mittelmeer
über Griechenland nach Malta. Korfu war auch dabei,
denken Se sich nur! In Korfu war die Sissi damals auch, als
sie es so auf der Lunge hatte. Im dritten Film, glaube ich,
als die Mutti ihr nachreiste und sie schöne Spaziergänge
am Strand machten mit ihren Reifröcken und Schirmen
bei Sonnenuntergang. Irgendwie habe ich das bis heute
nicht richtig verstanden. Ich habe «Sissi» bestimmt 30-
mal geguckt. Sie hat es so auf der Lunge, dass man mit
ihrem Ableben rechnet und schon eine neue Braut für den
Kaiser gesucht wird. Kein Doktor kann mehr helfen, und
man schickt sie quasi zum Sterben in die südliche Sonne.
Aber dann kommt die Mutti, geht ein bisschen mit ihr
spazieren, und zack, ist sie wieder genesen? Das ist alles
sehr merkwürdig, aber bitte.

Jedenfalls würde es von Korfu aus noch nach Kroatien gehen. Das ist bestimmt auch schön, und wenn man nicht wollte, musste man ja nicht von Bord gehen und die Ausflüge mitmachen, sondern konnte auf dem Kahn bleiben. Zu guter Letzt würde das Schiff uns nach Mallorca fahren. Von dort würden wir nach Berlin zurückfliegen.

Ich muss sagen, Venedig klang reizvoll. Ich war viermal verheiratet und hatte mir immer gewünscht, dass mich einer der Gatten mal in die Laugenstadt entführen würde, aber es war mir nie vergönnt. Damals mit Otto war nicht daran zu denken, der war ja schneller verstorben, als man überhaupt ins Reisebüro hätte gehen können, und bei Franz und Wilhelm stand die Mauer. Da kamen wir nicht raus. Unser Venedig war der Spreewald. Schön war's trotzdem, doch. Wirklich schön. Aber eben nicht Venedig, Sie verstehen mich bestimmt. Später, nach der Wende, als ich Walter geheiratet habe, ja, da hätten wir fahren können. Aber der konnte nicht weg wegen seiner Karnickel. Ständig mussten sie gefüttert, ausgemistet und zu Ausstellungen gefahren werden, und ehe ich hätte auf den Tisch hauen können, lag Walter eine Etage tiefer in der Kiste, und ich war zum vierten Mal eine gramerfüllte Witwe.

Das lehrte mich, seine Träume nicht aufzuschieben, sondern sie sich zu erfüllen. Wie schnell ist das Leben um! Lassen Se sich das gesagt sein von Oma Bergmann. Ich bin 82 (hatte ich das erwähnt?), und für Sie klingt das vielleicht uralt. Für mich jedoch fühlt es sich so an, als wäre ich erst gestern ein Backfisch gewesen und als hätte die Zeit nur ein Mal mit den Fingern geschnipst, und zack!, war ich eine olle Frau. Es geht so schnell rum, dieses Leben. Schieben Sie nie etwas auf! Machen Se, worauf Sie Lust haben, wenn es niemandem weh tut und Sie es sich leisten können. So.

Ich brühte uns einen frischen Tee auf, und wir studierten die Angaben zu der Reise ganz genau. Man muss höllisch aufpassen; wenn man nur ein Wort falsch versteht, hat man nachher den Salat. Vor Jahren haben wir eine hübsche Busfahrt gemacht in die Eifel. Man konnte aus zwei Hotels wählen. Die sahen beide passabel aus, und ich dachte, es wäre egal, was ich ankreuze. Da hatte ich mir aber ein Dilemma eingehandelt, sage ich Ihnen! Passen Se bloß genau auf, dass da nicht «familienfreundlich» steht. Es gab nur Nudeln mit Tomatensoße und Grießbrei zum Abendbrot, und der ganze Flur stand voll mit Kinderwagen, man kam gar nicht durch. Vom Gebrüll rede ich nicht, Kinder sind Kinder – ich hätte eben besser aufpassen müssen.

Gertrud fand es nicht schlimm, sie ist sogar zum großen Wettbewerb «Wer buddelt die schönste Sandburg?» gegangen und hat einen Sonderpreis bekommen. Nicht, weil ihre Burg so schön war, aber die Betreuerinnen waren dankbar, dass sie eine Oma mehr zum Aufpassen hatten. In allen Ritzen und sogar in den Haaren hatte Gertrud den Sand, das ganze Bett hat sie vollgesandet in der Nacht danach. Nur gut, dass wir zwei Einzelbetten gebucht hatten. Auch wenn Doppelbett billiger gewesen wäre.

Nee, so was würde mir nicht noch mal passieren. Keine Kinder an Bord! Wir studierten die Reisebeschreibung eingehend und ganz genau, alle beide. Mit Lesebrille und Zeigefinger auf dem Text, Zeile für Zeile. Ich las sogar im Interweb noch Erfahrungsberichte, und die äußerten sich alle in den höchsten Tönen und sehr begeistert. Eine Dame schrieb sogar: «Gediegen, luxuriös und doch erlebnisreich – Erholung auf allerhöchstem Niveau.» Doch, das könnte mir gefallen. Es gab eine deutschsprachige Reiseleitung, jeden Tag Ausflüge, Unterhaltungsprogramm an Bord, und Essen und Trinken war alles inklusive. Das Schiff sah wunderschön aus, die abgebildeten Fotos waren sehr einladend. Die Kabinen machten einen geräumigen und sauberen Eindruck. Das ist schon eine Menge wert, wenn man nicht vor dem Einzug erst mit dem Lappen und Hygienespray selber Hand anlegen muss.

Doch, diese Reise sollte es sein. Wir entschieden uns des angenehmen Wetters wegen für drei Wochen im Mai. Das brachte jedoch eine Menge Probleme mit sich. Immerhin war das die Pflanzzeit, da mussten nicht nur die Balkonkästen, sondern auch die Gräber meiner verschiedenen Gatten in Schuss gebracht werden! Aber Eisbegonien hin oder her – nach so vielen Jahren des Gießens darf eine Renate Bergmann auch mal an sich denken. Wir hatten eine hübsche Außenkabine ausgesucht mit kleinem

Balkon, Essen rund um die Uhr, Landausflügen und allem Drum und Dran. Gertrud freute sich wie ich, aber dass ich sie einladen und alles für sie bezahlen würde, bereitete ihr doch Unbehagen.

«So viel Geld für mich auszugeben, Renate! Eine Busfahrt hätte es doch auch getan», wiegelte sie ab.

«Warte nur ab, Trudchen. So ein Dampfer, das ist viel besser als Bus fahren!»

Frau Doktor war sehr zufrieden mit meinen Blutwerten. Nur die Leberwerte stechen irgendwie raus, wir rätseln seit Jahren, woran das liegt.

Irgendwie musste ich es Kirsten beibringen, dass Gertrud und ich auf große Reise gehen würden. Ich befürchtete das Schlimmste, bei solchen Dingen ist sie immer etwas ängstlich und besorgt um ihre Mutti und spielt sich auf, als wäre ich das Kind und nicht sie. Aber es war gar nicht so schwer, wie ich dachte.

Ich hatte es aber auch sehr geschickt eingefädelt. Schließlich bin ich nicht auf den Kopf gefallen, hihi. Ich hatte mir überlegt, dass es das Beste wäre, sie zu einem schönen Spaziergang durch den Park zu überreden, als sie auf Besuch war. Sie kommt in letzter Zeit immer öfter aus dem Sauerland nach Berlin und macht Kurse und Seminare, wo sie mit anderen komischen Frauen das ganze Wochenende zusammensitzt und Wasser linksrum rührt. Kirsten kuriert nicht nur alle möglichen Blockaden mit ihrem Esoterik, sondern turnt auch mit Kätzchen, Hunden und anderen Kleintieren. Sie isst kein Fleisch und keine Eier. Ich habe kein leichtes Los mit ihr, sage ich Ihnen! Wir flanierten bei schönem Wetter um den Parkteich. Ganz nebenbei fing ich an, vom geplanten Urlaub mit Gertrud zu erzählen. Kirsten hörte gar nicht richtig hin und sammelte ständig Federn und kleine Stöckchen vom

Boden auf. Daraus wollte sie Traumfänger zusammen-werkeln. «Die gehen für 18 Euro weg, das ist eine Gold-grube, Mama!», rief sie mir zu. Das Kind brachte mich ein ums andere Mal zum Staunen. Wie die immer wieder auf so einen Blödsinn kommt! Aber dass es auch Leute gibt, die ihr den Plunder abkaufen?

Letzthin konnte sie nicht ans Telefon gehen, weil sie mit Katzen Rückbildungsgymnastik machte, damit die keinen Hängebauch behalten nach dem Werfen. Und Ostern konnte sie nicht kommen, weil da ihre Lupinen-sprossen keimten und sie zu Smufiesaft verpresst werden mussten. Das ging nur da, weil Neumond war, sagte Kirs-ten. Man müsse die gekeimte Lupinensaat bei Neumond verarbeiten, sonst würde der Saft die Fruchtbarkeit nicht so anregen wie geplant.

Erwarten Se bitte nicht, dass ich zu diesem Blödsinn et-was sage. Ich nehme meine Blutdrucktablette und denke mir meinen Teil, wundern tue ich mich schon lange nicht mehr. Soll se machen. Soll se andere mit ihren Wünschel-ruten und Räucherstäbchen beglücken, solange sie mich damit in Ruhe lässt. Ich sah eine hübsche Feder, die wohl ein Habicht oder ein Falke verloren hatte, und bückte mich vorsichtig, um sie für Kirsten aufzuheben.

«Aber Mama! Zwei Schritt zurück und in den klassi-schen Sonnengruß!», rief sie mahnend von hinten.

Da musste ich mir dann aber doch auf die Lippen bei-ßen. Dass das Mädel aber auch nie wusste, wann es genug war! Wissen Se, ich habe die Hüfte operiert gekriegt und bin froh, wenn ich den Ostwind nicht spüre und ohne den

Rollator gehen kann, und die murmelte was von Sonnengruß. Haben Se das mal probiert? Da knackt alles, was morsch ist, und zwar nicht nur bei alten Leuten mit Ossiporose! Und dann noch mit Anlauf!

Es war jedoch nicht der Moment, sich aufzuregen und sie zu verärgern, deshalb lächelte ich nur und reichte ihr die Feder.

«Kirsten, mein Kind ... denk dir nur: Ich werde wieder verreisen im Mai», hob ich an, mich ihr zu erklären. Sie reagierte gar nicht, sondern suchte weiter nach Federn. Die Reste eines vom Habicht gefressenen Huhns fielen in ihr Blickfeld, und wir steuerten auf die Schlachtestelle zu.

«Mit Tante Gertrud. Du musst dir also gar keine Gedanken machen um mich, ich bin ja nicht allein. Es ist auch ein Arzt an Bord und deutsche Reiseleitung. Wollen wir heute Abend den schönen Salat mit Tomaten und dem Brasilikum machen?»

Wenn ich was hinterherschob, das sie interessierte, würde sie vielleicht gar nicht groß auf die Reise eingehen, hatte ich gehofft, aber sie war helle dabei und hakte nach.

«Was soll das heißen: ‹an Bord›? Und überhaupt, wieso deutsche Reiseleitung? Du willst doch nicht etwa ins Ausland?»

Kirsten guckte entgeistert.

«Nicht mit Brasilikum? Vielleicht nur mit Essig und Öl, wie ihn Oma Strelemann immer gemacht hat?»

«Mama! Versuch nicht, mich für dumm zu verkaufen. Raus mit der Sprache: Wo soll es hingehen, wie lange, wie teuer ist das, und wie läuft das ab? Und wessen verrückte Idee zum Teufel war das wieder?»

Kirsten war richtig böse.

«Kind …»

«Du bist 82 Jahre alt …»

«Eben! Wie lange habe ich denn wohl noch? Da muss ich jetzt fahren, wo ich noch krauchen und mir alleine die Schuhe zubinden kann!»

Kirsten guckte vorwurfsvoll runter zu meinen bequemen Sandaletten mit Klettverschluss.

«Du weißt genau, wie ich das meine! Und überhaupt, Stefan sagt, auf dem Kreuzfahrtschiff bin ich vielleicht sogar eine der Jüngsten!»

Da musste sogar Kirsten kurz lachen. Wir gingen dann, ohne Federn zu suchen, gemütlich weiter und ich erzählte ihr von unseren Plänen. Kirsten hörte sich alles geduldig an und sagte nur hin und wieder einen Satz, wovon jeder mit «Aber …» begann. Ich habe ihr alles ganz ehrlich beantwortet, schließlich hatte ich nichts zu verbergen. Als würde ich auf eine Abenteuerreise durch die Wüste gehen!

Nur als sie fragte, wie sich Gertrud denn so eine Reise leisten könne, wich ich aus. Es ging Kirsten gar nichts an, dass ich das bezahlte. Gertrud war mein Gast, ich hatte sie eingeladen. Wenn meine Tochter das erfahren würde, na, dann würde sie ein Gezeter anstimmen! Sie kennen das bestimmt: Kaum ist man in Rente, entdecken die Kinder ihre Fürsorge für einen. Das machen die vor allem, um einen besser unter Kontrolle zu haben, damit man das Erbe nicht verschleudert. Von meinem Aktiengeld hatte ich Kirsten nie etwas erzählt, das ging die gar nichts an. Schließlich war es MEIN Geld, und ich konnte damit machen, was ich wollte.

Ich überlegte, sie anzuflunkern, dass Gertrud bestimmt ein bisschen was von Gunter Herbst zugesteckt bekommen hatte. Der olle Bock stand steif vor Geld, sage ich Ihnen! Gertrud hat letzthin seine Manchesterhose geflickt, weil sie am Zwickel so dünn war, dass der Stoff kaputtgegangen war, und da hat sie in dem eingenähten Schildchen einen Reichsadler entdeckt. Denken Se sich das mal! Gunter trägt die Hosen seines Vaters auf. Er baut alles Gemüse im Garten an, schlachtet selbst, heizt mit Holz aus dem Wald und hat auf dem Hof eine Wasserpumpe, unter der er sich im Sommer wäscht. Der hat in seinem ganzen Leben nie was ausgegeben, außer für Puffreisschokolade. Das ist seine Schwäche. Gunter ist ein Schleckermaul und nascht jeden Abend eine Tafel Puffreisschokolade. Wenn er Norbert – das ist Gertruds Doberschnauzer – bei sich hat, teilt er aber. Es ist ein Bild, ich sage Ihnen, da wird einem warm ums Herz: Gunter und Norbert sitzen gemeinsam vor dem Fernseher, Norbert kriegt eine halbe Flasche Bier aus seinem Napf zum Einschlafen – mehr darf er nicht, weil das kalte Bier so treibt und er sonst noch mal Gassi muss –, und dann üben sie «Gib Pfötchen». Wenn Norbert es richtig macht, kriegt er ein kleines Stück von Gunters Puffreisschokolade.

Nee, da musste sich Gertrud keine Sorgen machen, bei Gunter war Norbert sehr gut aufgehoben während unseres Urlaubs. Das erzählte ich Kirsten und auch, dass

Gunter der Gertrud unter die Arme gegriffen hatte. Sie konnte das gar nicht nachprüfen, und ich bin auch gut im Flunkern. Wenn man viermal verwitwet ist, lernt man so was. Oder meinen Se, der Doktor hätte sonst auch beim vierten Mal noch anstandslos den Totenschein ausgestellt? Aber das gehört nicht hierher. Außerdem ist Walter ganz friedlich eingeschlafen, nicht, dass Se jetzt was Falsches vermuten. Und um Franz geht es hier gerade nicht.

Kirsten bestand nur auf einer Sache: «Mama, bevor du fährst, gehst du aber zum Arzt und lässt dich durchchecken. Der soll bestätigen, dass du die Strapaze gesundheitlich durchstehst. Italien, Spanien, Griechenland ... ihr fahrt bis fast nach Afrika runter mit dem Rentnerpott, denk doch nur mal, was da schon für eine Hitze sein kann Ende Mai!» Richtig besorgt war se, meine Kirsten. Sie hatte ja recht, und ein bisschen schmeichelte es mir auch, wie sie sich kümmerte. Ich lächelte und versprach, dass ich mit der Dokterschen sprechen würde.

Für ein Päckchen Krönung setzt Frau Doktor Bürgel mir unter alles ihren Otto, da schreibt sie mir sogar Massage und Wassergymnastik auf, selbst wenn sie schon über ihr Büdschee ist.

Zwei Tage darauf bin ich hin zur Doktern, ganz früh. Ich gehe immer gleich morgens. Was man erledigt hat, ist weg, und man hat auch noch was vom Tag, wenn man zeitig wieder zurück ist. Ich bin nicht so eine, die erst ausschläft, um halb sieben gemütlich aus den Federn kriecht und vielleicht erst um acht im Wartezimmer sitzt. Nee, das dürfen Se nicht von mir denken. Spätestens um halb sieben bin ich da und meist die Erste. Schwester Sabine kann mich nicht leiden, die guckt immer ganz giftig, wenn sie aufschließt und mich sieht, und hielt mir auch an diesem Donnerstag wieder einen langen Vortrag, dass ich hätte anrufen und einen Termin machen sollen. Sie hätte schließlich ein System, und andere Patienten wären bestellt, außerdem gäbe es Leute, die wirklich krank und ein Notfall wären, und all so einen Kram. Aber da kam Frau Doktor Bürgel, sah mich und begrüßte mich mit: «Ach, die Frau Bergmann! Kommen Sie doch gleich mit durch.» Das passte dem Drachen von Schwester Ü-BER-HAUPT nicht, aber sie konnte nichts machen.

Ich schilderte Frau Doktor, worum es ging; dass ich für meine Tochter schriftlich brauchte, dass die Pumpe eine Dampferfahrt übersteht und ich auch im Oberstübchen noch so klar war, dass ich wohl meine Zimmernummer allein finden und zum Essen einen Rock anziehen würde.

Sie ist im Bilde, müssen Se wissen, Kirsten war vor ein paar Jahren schon mal bei ihr und hat vorgesprochen wegen meiner Einweisung ins Heim und hat sich auch schon wegen Entmündigung erkundigt. Seitdem weiß sie, wie der Hase läuft und wie mein Fräulein Tochter tickt. Kirsten ist da nicht fein. Sie hat mich auch unter einem Vorwand in Altenheime geschleppt zum Probeliegen, stellen Se sich diese Hinterhältigkeit mal vor! Seitdem bin ich nicht nur misstrauisch, wenn ich sie irgendwohin begleiten soll, sondern habe auch immer ein Pupskissen in der Handtasche. Wenn man bei so einer Heimleiterin im Büro sitzt, will man schließlich keinen zu guten Eindruck hinterlassen. Nicht, dass die mich noch nehmen!

Frau Doktor suchte erst mal lange nach ihrem Kuli, dann musste sie den Computer neu starten, weil sich was verhangen hatte und sie immerzu die Akte von einem Herrn Brösicke auf dem Schirm hatte. Sie merkte das erst, als sie mich fragte, ob ich mit den neuen Prostatatabletten gut zurechtkäme. Hihi.

Was sollte se schon groß machen? Sie nahm Blut ab, horchte mich ein bisschen ab, maß den Blutdruck und verschrieb noch mal neu die Tabletten, die ich immer nehme, damit die auch ja über den Urlaub reichten. Ich musste versprechen, nicht zu lange in der prallen Sonne zu bleiben und nach Möglichkeit mittags eine Stunde zu ruhen. Die Bürgel wünschte mir eine schöne Reise und ganz viel Spaß. Beim Rausgehen sah ich einen älteren Herrn, den Frau Doktor mit «Na, dann kommen Sie mal rein, Herr Brösicke» begrüßte. Ich guckte ihn genau an, aber so, wie er ging, machte er nicht den Anschein, dass es ein Problem mit den neuen Tabletten gab.

❋

«Wir müssen unbedingt neue Abendkleider haben für das Kapitänsdinner, Gertrud. Oder willst du dein Geblümtes noch mal anziehen?»

Wissen Se, das bleibt ja unter uns: Ich konnte mir nicht vorstellen, dass das noch passte. Ilse hatte für Stefans

Hochzeit vor zwei Jahren schon den Reißverschluss versetzen müssen, und trotz der strammen Spaziergänge mit Norbert hatte Gertrud seither bestimmt noch mal vier Pfund zugelegt. Da würde Ilse einen Keil einsetzen müssen, wenn das überhaupt noch ging. Für mich stand außer Frage, dass sie etwas Neues brauchte; mit ihren Lumpen konnte sie vielleicht mit Gunter Herbst zum Karnickelball gehen, aber doch nicht auf dem Traumschiff zum Kapitänsdinner!

Aber wissen Se, Gertrud legt nicht viel Wert auf ihre Garderobe. Ein Pfingstochse ist dezent gekleidet im Vergleich zu ihr. Und was mich angeht, das sage ich Ihnen ganz offen, ich wollte ein neues Kleid. Ich würde einmal in meinem Leben auf dem Traumschiff aus dem Fernsehen tanzen, da war das doch wohl angemessen! Ilse würde es schneidern, ach, die hat ein Händchen dafür und auch die schönsten Schnittmuster. Man muss ein bisschen aufpassen, dass sie einem nicht was für olle Tanten näht, da hat sie einen Hang zu. Aber wenn man genau sagt, was man will, zaubert sie mit viel Pfiff die schicksten Sachen.

Ilse hat schon mein ganzes Leben lang die schönsten Kleider für mich geschneidert. Da stand es außer Frage, dass sie mein festliches Abendkleid würde nähen MÜSSEN! Sie war auch ganz begeistert von der Idee, und wir suchten in «Burda Moden» nach einem passenden Schnitt. Vielleicht würde ich sogar ein Diadem zu dem Kleid tragen. Als Dame hat man zu seiner goldenen Hochzeit ein Diadem, aber da meine Männer immer weggestorben sind, bevor ich auch nur eine Silberbraut wurde, war mir das nie vergönnt. Da war das Kapitänsdinner ein willkommener Anlass für mich, auch mal ein Krönchen zu tragen. Der Herr Glööckler sagt immer: «Jede Frau kann eine Prinzessin sein», und nu gucken Se sich den Charles und die Camilla an – die sind ran an die 70 und nicht viel jünger als ich. EINMAL möchte ich das auch!

Gertrud sah ein, dass neue Kleider unabdingbar waren. «Du suchst was Hübsches für uns aus, Renate», rief sie mir zu. Das hatte sie sich so gedacht! Nicht mit mir.

«Gertrud, wir sind nicht die Jacobschwestern und auch nicht die Kesslerzwillinge. Wir gehen nicht im gleichen Kleid! So weit kommt es noch. Du suchst dir schön was eigenes aus.» Bei der piepte es wohl! Ich würde Gertruds Kleiderwahl aber im Auge behalten, schließlich wollte ich bei so einem feierlichen Anlass nicht fein gemacht neben meiner besten Freundin sitzen, die einen geringelten Pullover trägt.

Ich überlegte hin und her. Schwarz wollte ich nicht, wissen Se, auf einer Kreuzfahrt sind so viele alte Leute, wenn man da Schwarz trägt, brechen die noch das Essen ab und zählen durch. Schwarz muss ich oft genug tragen auf den Beisetzungen. Rot ging auch nicht, schließlich bin ich nicht Teufels Großmutter. Ilse schlug Dunkelgrün vor.

«Renate, das kleidet dich. Da kommt dein schönes weißes Haar zur Geltung, und es lässt deine Augen leuchten. Ich habe in ‹Traudels Stoffparadies› neulich einen traumhaften Ballen gesehen … smaragdgrüne Seide! Und die

Ärmel und die Schultern machen wir aus grünem Tüll und am Ausschnitt ein bisschen Spitze …»

Ilse beschrieb das so schwärmerisch und bildhaft, dass ich ganz angesteckt war von ihrer Begeisterung.

«Dazu kann ich die Stola tragen, weißt du, wenn man später getanzt hat, ist man vielleicht etwas erhitzt und geht an Deck und schnappt bei Mondschein ein bisschen frische Luft, da verkühlt man sich leicht.»

Ich sah das alles schon vor mir, ach, das würde wunderhübsch werden! Ilse nahm noch am selben Abend Maß und schrieb alles in ihr Buch, in das sie seit Jungmädchentagen immer meine Maße einträgt, wenn sie etwas für mich schneiderte. Wir blätterten das Heftchen durch und schwelgten in Erinnerungen. Alle meine vier Brautkleider hatte Ilse genäht, mein Umstandskleid, dann das gute Geblümte, das ich auf Kirstens Konfirmation anhatte, und auch das Schwarze, das man sowohl zu Beerdigungen tragen konnte als auch, wenn man auf dem Amt was zu erledigen hat und seriös wirken will. Meine Maße haben sich in all den Jahren kaum geändert, worauf ich sehr stolz bin. Da zahlt sich meine Disziplin aus. Ich habe aber auch einen Trick, den kann ich Ihnen verraten: Nach dem Essen kommen die Zähne raus, dann kommt man gar nicht auf die Idee, noch zu naschen!

Gertrud zierte sich und machte nicht so viel Aufhebens. Sie suchte sich im Quelle-Katalog ein schwarzes Kleid aus, und erst, als sie bei der Bestellannahme nicht durchkam, setzte sie die Brille auf, sah, dass der Wälzer von 2003 war, und ihr fiel ein, dass die längst pleite sind.

Sie hebt aber auch jeden Mist auf! Selbstverständlich hätte Ilse auch für sie genäht, aber da schämt sie sich. Sie will nicht, dass jemand ihre Maße kennt.

Da ist sie ganz verklemmt, im Gegensatz zur Frau Berber, meiner Nachbarin. Letzthin hat sie tatsächlich die Treppe gewischt (zwar ohne vorher zu fegen und mit lauwarmem Wasser, aber immerhin). Als ich ihr über die Schulter schaute, kniete sie gerade vor dem Geländer und bot mir Einblicke, die ich sonst nur vom Klempner kenne. Die Hose war tief über den Hintern gerutscht, und eine Strippe verlief quer über den Rücken. In Richtung Po spannte sich ein kleines Wimpelchen. Daran war noch ein Zettel, auf dem ganz viele Xe standen und ein L. Ich habe mich aber auf den Dreck konzentriert und nicht die Xe gezählt. Da geniert sich die Berber überhaupt nicht.

Für Gertrud suchten wir ein schickes Kleid aus bei «Charme & Anmut». Wir guckten auch bei «Hager & Mager», aber das ist wirklich nur was für ganz Junge. Gertrud stieg kopfüber in ein an sich hübsches Kleid in Größe 50, und dann mussten wir die Verkäuferin zu Hilfe rufen. Die kam mit einem Teppichmesser. Fragen Se nicht. Bei «Charme & Anmut» fanden wir jedoch ein marineblaues Abendkleid, mit Pailletten am Dekolleté hübsch abgesetzt und auch aus einem weichen Stoff, der nachgibt. Nichts ist doch unangenehmer, als wenn der Bund nach zwei Bissen Heringssalat in den Magen schneidet.

Wenn man «Traumschiff» guckt, rechnen die das einem als Sicherheitsübung an, wenn man eine Kreuzfahrt macht? Man kennt sich dann doch aus!

Das große Ereignis rückte immer näher. Einige Wochen vor der Abreise ging ich zum ADA-Dingens. Die mit dem Gelben Engel, Sie wissen schon. Kurt ist da Mitglied. Fragen Se nicht – Ilse hat sich das aufdrängeln lassen vor der Kaufhalle, weil es so eine schöne Bratpfanne dazu gab und weil der Schnösel sie «junge Frau» genannt hat. Da ist sie weich geworden, und nun buchen sie jedes Jahr einen Haufen Geld ab. Bisher mussten sie noch nie zum Abschleppen zu Gläsers kommen, aber man weiß ja, wie das ist – in dem Moment, wo man kündigt, bleibt man mit Motorschaden liegen! Und nicht alles lässt sich so leicht mit einer Strumpfhose reparieren wie ein Keilriemen.

Nee, Ilse sagt, nun ist es abgeschlossen, und dann bleiben Gläsers auch drinnen im AC/DC. Die Pfanne ist wirklich prima, sagt Ilse, da backt nichts drin an – die ist besser als die teure vom Teleschoppfernsehen. Und sie stehen einem mit Rat und Tat zur Seite beim Autoclub, wenn man Fragen zu Reisen hat. Also bin ich mit Gläsers hin. Wann denn, wenn nicht jetzt?

Ilse und Kurt hätten gar nicht mitgemusst, denn die wollten gar keinen Ausweis sehen. Ein unfreundlicher Kerl fragte nur: «Spanien? Und Italien auch?», und warf mir einen Stapel Straßenkarten und sonstige Informationsheftchen auf den Beratungstresen. Mehr wollte ich auch gar nicht, wir dankten und gingen. Er schaute uns kopfschüttelnd nach und murmelte: «Die kommen doch nie und nimmer heil über den Brenner!» Der glaubte tatsächlich, wir drei würden mit Kurts Koyota reisen! Ich war ein bisschen böse ob der unverschämten Bemerkung und wollte erst, dass Kurt seinen Führerschein zeigt, den haben die Tommies damals ausgestellt nach dem Krieg, aber wir ließen es auf sich beruhen und fuhren wieder heim.

Am Abend studierte ich die Tscheckliste von denen in Ruhe und Punkt für Punkt:

Vor der Abreise

Wertsachen deponieren / verstecken
Mein bisschen Bargeld war gut versteckt. Wer guckt schon im Spülkasten? Da musste ich nichts woanders verstecken oder deponieren.

Blumengießen organisieren
Das erledigt Herr Berger aus dem zweiten Stock, wie immer, wenn ich verreise. Der macht das gern, er ist eine treue Seele. Es fehlte noch, damit die neugierige Berber zu beauftragen! Die würde die Blumen ertränken und nur in meinem Kram rumschnüffeln, ich kenne die doch. Nee, das macht Herr Berger wie immer.

Haustierpflege organisieren

Was denken sich diese Leute, die solche Listen schreiben, bloß? Dass ich das Katerle drei Wochen unversorgt zurücklassen würde? Dem wird Herr Berger was hinstellen, wenn der für die Blumen da ist, das versteht sich ja wohl von selbst.

Post und Zeitung abbestellen

Für die drei Wochen? Lohnte sich nicht. Außerdem würde das die Einbrecher nur auf den Plan rufen, wenn man keine Zeitung bekommt. Gucken die denn kein «Aktendeckel XY», bevor die solche Listen schreiben? Un-verantwortlich!

Anrufbeantworter vorbereiten

So was Dummes! Also, wer dieses Pamphlet geschrieben hatte, dem müsste man wirklich was erzählen. Soll ich etwa auf die Anrufsprechmaschine sagen: «Hier ist Renate Bergmann, ich bin die nächsten drei Wochen verreist, sprechen Sie nach dem Piep»? Dann könnte ich auch gleich sagen: «Der Schlüssel liegt unter der Fußmatte, das Geld ist im Spülkasten, und bitte, brechen Se vormittags ein, da sind die Meiser und die Berber arbeiten und hören nichts.» Am liebsten hätte ich gar nicht weitergelesen, so böse war ich. Aber wer weiß schon, vielleicht war doch noch der eine oder andere gute Tipp dabei? Und gekostet hat es ja auch nüscht.

Mobilfunk-Infos einholen für Roaming

Mmmh. Das verstand ich nicht. Hoffentlich war das kein Schweinkram … Ich würde Stefan fragen müssen. Aber diskret. Als Gedankenstütze notierte ich es auf einem Zettel.

Wichtige Ausweise kopieren

Ja, das konnte nicht schaden. Lassen Se bloß mal so einen Handtaschendieb zuschlagen und mir die Papiere klauen, dann könnte ich wenigstens noch auf der Kopie nach- gucken, wo ich wohnte und wann ich Geburtstag hatte.

Wichtige Zahlungen erledigen

Eine Renate Bergmann bezahlt immer alles sofort! Also wirklich, solche Hinweise sind was für unstete Leute, die ihre Couch auf Raten abzahlen. Für mich gilt das nicht.

Arzt und Zahnarzt besuchen

Zum Zahnarzt muss ich nur ein Mal im Jahr, und eigent- lich müsste ich da auch nicht mit. Es würde langen, wenn ich meine Zähne Ilse mitgäbe. Und bei Frau Dr. Bürgel war ich ja schon gewesen. Die Doktersche hatte beschei- nigt, dass ich alles gesund überstehen würde. Schließlich würden wir nicht selber rudern müssen wie in einer Sträf- lingsgaleere.

Geheimnummern gut merken

Ach, damit meinten die bestimmt die TIM-Nummer für die Bezahlschipkarte? Meine ist 1760, das kann ich mir

gut merken. 17 Mark 60 hat früher die Flasche Doppel-
korn gekostet, hihi. Nee, die weiß ich auswendig, und ich
sage Ihnen, wenn mir die nicht mehr einfällt, dann will ich
nicht mehr. Dann können se mich auch ins Heim bringen.

Elektrogeräte ausstellen / Stecker ziehen

Das mache ich erst am Morgen der Abreise. Ich sitze doch
nicht zwei Wochen im Dustern und ohne Kühlschrank,
vielleicht mit abgedrehtem Wasserhahn?! Man konnte
nur den Kopf schütteln über diese Tscheckliste.

Kühlschrank leeren

Ja, das stimmte, ich konnte schon mal anfangen, die Reste
wegzuessen, damit ich am Urlaubsvorabend nicht so viel
an die Nachbarn verschenken muss. Man guckt ja doch,
dass man den Margarinebecher leer hat, und fängt keinen
neuen mehr an, ein paar Tage bevor man wegfährt. Wenn
wirklich noch ein paar Scheiben Aufschnitt oder Käse
übrig sind, bringe ich das vor einer Reise immer zu Ilse.
Das wäre doch ein Jammer, wenn man es wegschmeißen
müsste. Das kann man doch noch essen!

Adresse hinterlassen / Schlüssel hinterlegen

Ich werde ja das Händi mitnehmen, wer was will, kann
schreiben oder anrufen. Eine Adresse zu hinterlassen ist
gar nicht so leicht, wenn man mit einem Schiff fährt. Denken Se sich nur, man schreibt «Mittelmeer» – werfen die
einem das Päckchen dann nach? Wundern würde es mich
nicht, so lange, wie die Post manchmal unterwegs ist …

das würde so einiges erklären! Ich hätte eine Liste machen müssen, wo wir an welchem Tag sind. Aber dann beim Reisebüro die Straßennamen und Postleitzahlen vom Hafen von Venedig anfragen? Das hätte zu viel Mühe gemacht. Ich glaube, das ging auch ohne. Nee, Händinummer und Name des Schiffes langten hin.

Heizung aus

Wir reisten Ende Mai, wissen Se, da ist die Heizung im Haushalt Bergmann selbstverständlich schon aus. Ich spare, wo ich kann, und ballere mir nicht die Stube auf 25 Grad! Tagsüber bin ich fast immer unterwegs, im Mai ist schließlich Pflanzzeit auf den Friedhöfen. Und wenn man des Abends beim Fernsehgucken mal fröstelt, holt man sich eben eine Decke oder geht früh schlafen und stellt sich die Heizdecke an.

Wasser abdrehen

Ja, das war wichtig. Das schrieb ich auf meinen Zettel. Aber den Haupthahn für die Wohnung, nicht für das ganze Mietshaus wie damals, als wir über Silvester mit dem Bus verreist sind in die Berge. Das war aber ein Versehen, und die Berber hätte nun wirklich nicht so ein Geschrei machen und den Notdienst anrufen müssen. Am nächsten Abend hatte sie ja wieder Wasser, und ein Weilchen kann man es wohl mal zurückhalten oder auf den Eimer gehen, meine Güte!

Müll raustragen

Die haben die Liste bestimmt für verlotterte Weibsbilder wie die Berber gemacht. ALS WÜRDE ICH VERGESSEN, DEN MÜLL RAUSZUBRINGEN!

Ich blätterte um zum zweiten großen Abschnitt. Bevor ich weiterlas, genehmigte ich mir erst mal einen kleinen Korn. Den Quatsch konnte man ohne Schnaps ja kaum ertragen.

Kleidung

Da ging es offenbar um Tipps, was man an Anziehsachen ins Gepäck nehme sollte. Nun gut, man konnte ja mal durchstöbern.

Unterwäsche

Das versteht sich ja wohl von selbst. Für jeden Tag eine frische Garnitur plus eine Reserve, falls doch mal ein Malheur passiert. Man weiß ja nie, bei dem südländischen Essen, das verträgt man vielleicht nicht so gut? Ich notierte auch gleich Reisewaschpulver aus der Tube auf meiner Liste, dann könnte man im Fall des Falles auch im Handwaschbecken in der Kabine mal was durchspülen.

Ggf. Thermo-Unterwäsche / Sport-Unterwäsche

Nee. Thermowäsche brauchten wir wohl wirklich nicht, auch wenn es am Abend vielleicht kühl wurde. Und was war überhaupt Sport-Unterwäsche? Ich glaube, die meinten damit einen Büstenhalter mit Gummizug, der alles an den Körper drückt und die Oberweite nicht so hüpfen lässt. Das ist was für Frauen, die nicht verstanden haben, wofür ein Busen überhaupt da ist!

Strümpfe / Socken

Ich notierte: Strumpfhosen. Die nehmen nicht viel Platz weg im Koffer.

Pullover, Strickjacken, Hoodies

Ja. Das kam mit rein. Eine Hoodies hatte ich nicht, ich schlug es bei Gockel nach, und es erschien ein Foto von einem Gängster mit hochgezogener Kapuze. Das war offenbar was für junge Leute, nicht für mich.

Hemd / Bluse

Blusen hatte ich selbstverständlich eingeplant und bei der zu erwartenden Hitze auch reichlich. Ich notierte gleich noch das Reisebügeleisen auf meinem Blatt, sicher würden die bei dieser komischen Tscheckliste daran nicht denken. Hemden gehörten selbstverständlich zur Unterwäsche. Ich sehe immer zu, dass ich die Garnitur passend habe. Es macht doch einen besseren Eindruck.

Jacken, ggf. Regenjacke

Das war wichtig. Eine Regenjacke, eine Übergangsjacke und eine Strickjacke würde ich einstecken, man weiß ja nie.

Am besten alles in den hübschen Beigetönen, dann ist man auch farblich nicht so gebunden und kann gut kombinieren. Beige passt ja zu allem.

Lange / kurze Hosen u. ggf. Röcke, Kleider

Das war selbstverständlich.

Schlafanzug / Nachthemd

Ja, das war auch wichtig. Ich schrieb gleich noch Bett-jäckchen und Schlafhaube mit auf, schließlich würden wir abends öfter in Gesellschaft sitzen und müssten am nächsten Morgen zum Frühstück schon wieder ordentlich frisiert sein ... da durfte die Frisur nicht leiden beim Schlafen.

Schuhe, Sandalen, Sportschuhe

Ich würde die guten Schuhe einpacken für das Kapitäns-dinner, die, die so schön zum Kleid passen. Für die Aus-flüge an Land würde ich die bequemen Schuhe vom Sport nehmen, wissen Se, die mit dem Klettverschluss. Die geben ein bisschen nach, wenn man dicke Füße kriegt. Ich würde sie auch auf der Reise im Flugzeug tragen. Sehen Se, das war das Stichwort: Ich musste gleich noch Frau Doktor bitten, dass sie mir Thrombosestrümpfe auf-schrieb für die Flüge. Die Ärzte empfehlen das, wenn man lange sitzt oder steht, sonst gibt es Krampfadern. Der Herr Neuer im Fußballtor trägt die auch in langweiligen Spielen, wenn er nur ohne Beschäftigung im Tor rumsteht und keine Bewegung hat, da müssen Se mal drauf achten.

Handtücher, Waschlappen, Bademantel

Eigentlich sollte man ja erwarten, dass die so was daha-ben, aber man hat ja schon Schweine vor der Apotheke

tanzen sehen. Nee, Pferde. Vor dem Postamt ... ich kriege
das gerade nicht zusammen, entschuldigen Se. Sie wissen
aber bestimmt, was ich meine. Nee, für den Fall der Fälle
habe ich immer eigene Handtücher mit. Dann nehme ich
die vom Hotel und lege mir damit den Weg vom Bett zum
Bad aus. Wer weiß denn, wer da alles schon mit seinen
Fußpilzmauken langgelaufen ist? Da kann man noch so
konsequent Latschen tragen, ruck, zuck holt man sich
was weg. Nee, da passe ich auf. Ich sitze nicht mit offenen
Füßen da die halbe Reise über, weil ich mir Fußpilz eingefangen habe!

Abendbekleidung & schicke Schuhe

Ja, das Kleid war ja in Arbeit. Ilse nähte in jeder freien
Minute, und die passenden Schuhe dazu standen schon
parat.

Schal / Halstuch, Mütze / Kopftuch, Handschuhe

Ich legte die Stola von Mutter raus, die würde man auf
dem Schiff über den Schultern tragen können, wenn es
frisch wurde, und ein leichtes Halstuch von Ilse. Ilse hat
das mit ihren Frauen im Seidenmalkurs für mich gemacht.
Es ist eine ganz normale Truppe, die hübsche Handarbei-
ten macht, nicht so eine Frauengruppe von Kirsten, die
nur bei Vollmond töpfert. Nicht, dass Se jetzt denken, Ilse
hat nun auch nicht mehr alle. Nee, nee. Es ist ein sehr
hübsches Tuch in pudrigen Erdtönen, das wunderbar
mit Beige harmoniert. Und es ist auch ein schönes An-
denken an Ilse. Immerhin würden wir uns drei Wochen

nicht sehen, da würde ich schon Sehnsucht haben ab und an. Handschuhe suchte ich nicht raus. Es war schließlich Frühsommer und der Platz im Koffer begrenzt. Wenn ich auf den Stapel meiner Sachen schaute, die mitsollten, dann wurde mir ganz mulmig.

Kleider- / Schuhputzbürste

Ich sah schon, was diese Dinge anging, fehlte eine ganze Menge auf der Liste. Nirgends ein Wort von Hygienespray und Fleckenreiniger! Die glaubten wohl, ich setzte mich einfach so auf eine fremde Toilette, ohne vorher gründlich reine gemacht zu haben? Ich notierte es auf meinem Zettel.

Gottchen, wie lang ging das denn noch mit dieser Liste? Das war ja abendfüllender als «Wetten, dass …?». Wissen Se noch, wie der Elstner immer überzogen hat und das «Sportstudio» bis in die Puppen warten musste? Später der andere war noch schlimmer, wie hieß er denn …? Gottschalk. Ich genehmigte mir noch einen kleinen Korn.

Sportbekleidung

Jetzt fühlte ich mich ein bisschen veräppelt. Wir wollten Urlaub machen und gingen nicht auf einen Trimm-dich-Pfad! Ich war ganz froh, dass ich mal zwei Wochen von Fräulein Tanja und ihrem lauten Gebrülle bei der Aquagymnastik weg war. Die mit ihrem ewigen «Und eins und zwei … und von vorn!». Zur Armee hätten se die mal schicken sollen als Ausbilder. Aber es tut der Hüfte gut, deshalb ertrage ich ihren Kommandoton mit Gelassenheit und turne jeden Mittwoch.

Bikini / Badehose

Ich notierte: BADEANZUG. Einen Zweiteiler in meinem Alter, ich bitte Sie! Die Zeiten sind vorbei. Eigentlich hatte ich auch nie solche Zeiten, in denen ich meinen Körper wie eine läufige Hündin präsentiert habe. Es langte, wenn meine Männer mich so sahen. Ich trage schon seit Backfischzeiten den Badeanzug, der die Hüften und den Po gut bedeckt und einpackt. Ein sehr elegantes und züchtiges Modell, mit dem man sich nicht schämen muss und für eine vom Gewerbe gehalten wird. Auf den roten Badeanzug, den ich seinerzeit für die Kur gekauft hatte, verzichtete ich zunächst. Wissen Se, die heißblütigen Südländer will man nicht noch wilder machen, als sie sowieso schon sind. Wenn die eine Frau in einem roten Einteiler sehen, da wallen die doch auf wie die Stiere in Pamplona! Wenig später legte ich ihn dann aber doch in den Koffer. Ganz nach unten, es muss ja nicht gleich jeder sehen. Wer weiß, wozu ich ihn brauchen konnte.

Sonnenbrille

Ja, die musste ich noch suchen. Ich habe aufsteckbare Gläser für meine Brille zum Weitgucken. Stefan sagt immer, ich sehe damit aus wie eine Stubenfliege, aber sie ist sehr praktisch, da kann man nichts sagen.

Mit der Bekleidung waren wir durch, das war alles in allem gar nicht so dumm. Ich nahm trotzdem einen dritten Korn, um mich für den Rest der Liste zu stärken.

Reiseführer / Sprachführer / Wörterbuch

Gertrud hatte einen Reiseführer «Mittelmeer» gekauft, da waren schöne Bilder von Wasser, Palmen und ein paar Steinbrocken-Ruinen drin. Das musste reichen. Wir hatten immerhin mit deutschsprachiger Reiseführung gebucht, da verließ ich mich ganz darauf, dass die das schon machten. Und Wörterbücher gingen nun wirklich nicht, unsere Route würde uns nach Italien, Kroatien, Griechenland und Spanien führen. Ich konnte ja nicht mit einer ganzen Bibliothek reisen! Nee, wissen Se, einer ist immer in der Reisegruppe dabei, der mal einen Kurs in der Volkshochschule gemacht hat und ein bisschen klugscheißern will, der würde schon aushelfen. Es geht ja nicht immer schief wie bei Frau Kniffelbach-Sörglein damals, als wir in der Tschechei waren. Sie wollte zum Nachtisch Schokoladenpudding bestellen, und dann kam für uns alle am Tisch noch eine zweite Portion Gänsekeulen mit böhmischen Knödeln! Was haben wir stopfen müssen. Ich musste den obersten Knopf vom Rock aufmachen, trotz Dehnbund, denken Se sich nur!

Nähzeug

Nähzeug habe ich IMMER einstecken!

Regenschirm

Als ob eine Renate Bergmann je das Haus ohne Regen-schirm verlassen würde. Man konnte nur wiederholt den Kopf schütteln. Ich überflog die nächsten Posten auf der Tudu-Liste.

Kamera mit Ladegerät, Speicherkarten, Kabel
Handy / Organizer mit Ladegerät, Kabel
MP3-Player / Radio
Laptop mit Ladekabel
Batterien / Akkus / Ladegeräte

Ich muss zugeben, dass ich nur Bahnhof verstand. Das Einzige, was ich kannte, war Händi und Ladekabel, aber das ist für mich wie Regenschirm, Nähzeug und Flach-mann: Ohne würde ich nie das Haus verlassen, geschwei-ge denn einen Urlaub antreten.

Reiseliteratur / Bücher / Zeitschriften

Sehen Se, das war mal eine gute Idee. Ich würde meine Rätselzeitung einstecken und das Buch über die spirituel-le Kraft der Bäume, das mir Kirsten geschenkt hatte. Dar-in stand beschrieben, bei welchem Problem man welche Baumrasse umarmen soll. Denken Se jetzt nicht, dass mich das auch nur im Entferntesten interessierte, aber wenn Kirsten mir dieses Pamphlet schon schenkt, fragt sie bestimmt auch bald was daraus ab. Und dann gibt es wieder Ärger, wenn ich überhaupt nicht Auskunft geben kann. Ich könnte in einer ruhigen Minute wenigstens mal durchblättern.

Gehörschutz

Ob wohl mit Bauarbeiten auf dem Dampfer zu rechnen war? Aber die meinten bestimmt weniger solche großen Kopfhörer als vielmehr Ohropacks. Und das war auch ein guter Hinweis, schließlich schnarchte Gertrud so laut, dass sie mit ihren Geräuschen so manchen Presslufthammer übertraf. Auch ihren Reizdarm würde ich so nicht hören, wenn auch riechen.

Adressen, Schreibzeug, Papier, ggf. Tagebuch

Die Adressen habe ich alle im Händi eingespeichert, und einen Kuli hatte ich auch dabei. Postkarten würden wir unterwegs kaufen.

Spielkarten / Würfel / Spiele

Die hatten doch bestimmt Rommeekarten da, ich packte zur Sicherheit aber doch mein Spiel ein.

Musikinstrument

Mich schauderte bei dem Gedanken, dass vielleicht doch Kinder mit Blockflöten an Bord waren. Ich hatte extra noch mal SCHRIFTLICH beim Reisebüro nachgefragt, per Imehl, aber keine Antwort bekommen. Da musste ich nochmals nachhaken, nicht, dass sich so ein Kinderchor an der Reling platziert und da singt und die Triangel schlägt! Das fehlte noch.

Impfpass / Blutspenderausweis

Den Impfpass habe ich immer bei den wichtigen Dokumenten. In meiner «Gewitter-Kassette», wissen Se. Da ist alles parat, von den Sparbüchern bis zum Testament. Aber was meinten die mit Blutspenderpass? Sollten wir da auf dem Schiff wohl noch Blut abgenommen kriegen? Das ist bei meinen störrischen Venen immer so schwer. Außerdem darf ich in meinem Alter auch gar nicht mehr spenden, das geht nur bis Anfang 70! Ich weiß Bescheid, schließlich arbeite ich seit über 50 Jahren ehrenamtlich beim Roten Kreuz. Ich schmiere Schnittchen und helfe den Leuten nach dem Blutspenden wieder auf die Beine, wenn sie noch etwas wackelig mit dem Kreislauf sind. Das würde ich dem Reisebüro melden müssen, nicht, dass die mir an die Venen wollten.

Kreditkarte / EC-Karte / Ausweis noch gültig?

Ja. So eine dumme Frage, aber bestimmt ist nicht jeder so organisiert wie ich, und deshalb ist es gut, dass die das aufschreiben. Mein Ausweis ist natürlich noch gültig. Bei Gertrud war das so eine Sache! Ich machte mir eine Notiz auf dem Zettel, das würde ich mit ihr besprechen.

Visum

Soweit ich wusste, brauchten wir das nicht. Ist alles EG, und EG geht ohne Visum. Hoffentlich trat bis zur Abreise nicht noch ein Land aus wie die Engländer neulich. Am Abend geht man ins Bett, und alles ist EG, und am Morgen steht man auf, und der Engländer ist weg. So schnell geht das!

Ggf. internationaler Studentenausweis ISIC

Das war bestimmt nur für junge Leute oder Terroristen, das ging mich nichts an.

Auslandskrankenversicherung

Ich melde immer der AOK, wenn ich verreise! Selbst wenn wir nur mit dem Bus ins Vogtland fahren. Sicher ist sicher. Die nette Frau Martin kann ich jederzeit anrufen, wenn was ist. Sie sagt immer: «Lieber einmal zu oft als zu wenig, Frau Bergmann.»

Flug- / Bahntickets, Hotelbestätigung

Das hatte ich vom Reisebüro bekommen. Ich guckte mit Stefan alles noch mal in Ruhe durch und hakte die Daten ab, nicht, dass wir am falschen Tag am Flughafen säßen!

Notfalltelefonnummern

Die hatte ich alle im Händi. Ilse und Kurt, Kirsten, Stefan und Ariane. Sogar die Nummer von der Meiser hatte ich mir geben lassen für den Notfall. So konnte ich am Freitagmorgen einen SM schicken, dass sie das Treppenhaus nicht zu wischen vergisst. Von der Berber wusste ich die Nummer nicht, aber das machte auch nichts. Es hatte gar keinen Sinn, die wischt schon nicht, wenn ich daheim bin.

Kaugummi gegen Reisekrankheit

Ich zog die Brauen hoch. Wissen Se, wenn man eine Zahnprothese trägt, ist Kaugummi nicht die allerbeste

Wahl. Ich notierte «Drops zum Lutschen» und überflog
die anderen Punkte.

Schmerzmedikament Kopf- / Halsschmerzen
Medikament gegen Sodbrennen, Übelkeit & Erbrechen
Desinfektionsspray, Einmalhandschuhe
Wund- / Brandsalbe bei Sonnenbrand
Fieberthermometer
Medikament gegen Durchfall
Salbe gegen Juckreiz, Hautpilz, Mücken, Allergien
Medikament gegen Erkältungen, Schnupfen, Husten
Pflaster / Blasenpflaster / Schere / Pinzette

Das waren gute Hinweise, aber das hatte ich selbstverständlich alles in meiner kleinen Reiseapotheke. Andererseits wollten wir auch keine Operationen am offenen
Herzen selber ausführen, und deshalb ließ ich die Handschuhe weg. Man muss es auch nicht übertreiben. Aber
die verordneten Tabletten für Zucker, Blutdruck und gegen das Wasser in den Beinen, die packte ich natürlich ein.

Pille / Kondome
Hihihi.

Duschzeug, Shampoo, Gesichtsreinigung, Deo
Zahnbürste, -pasta, -seide
Haarbürste, -kamm, -gel, -spray
Cremes für Gesicht, Hände, Körper
Sonnenmilch
Nagelfeile / -schere / -bürste
Wattestäbchen, Taschentücher

Ich las und nickte ab. Doch, das hatte ich mehr oder weniger alles im Gepäck. Zahnpasta strich ich und fügte Haftcreme und Gebissreiniger hinzu, und weil es in den Urlaub ging, würde ich sogar ein Päckchen vom guten kaufen, der so schön zitronig duftet. Und meine Lockenwickler durfte ich natürlich nicht vergessen.

Die Liste ging noch ewig weiter, aber jetzt langte es mir. Wissen Se, ich verreise seit so vielen Jahren, ich würde wohl auch diesmal zurechtkommen mit dem, was ich einstecke. Und selbst wenn nicht, wir waren zwar in fremden Ländern, aber doch auch in der Zivilisation. Der Spanier oder Italiener würde mir im Notfall wohl auch eine neue Strumpfhose verkaufen, wenn ich die vergessen würde!

Wissen Se, was vielleicht das Beste im Leben ist?
Man muss nicht jedem gefallen.

Die Sache mit dem Reisepass ließ mir keine Ruhe. Das war eine ganz wichtige Angelegenheit. Ich hatte meinen natürlich griffbereit in der Gewitter-Kassette mit den wichtigsten Dokumenten. Sie wissen schon, Sparbücher, Versicherungspolicen und das Testament. Wenn es donnert, schnappe ich mir die Kassette und meine Notfalltasche mit Leibwäsche, Zwieback, Händikabel und Korn, damit ich gewappnet bin, falls der Blitz einschlägt. Den Ausweis trage ich im Portemonnaie immer bei mir, und der Reisepass liegt obenauf in der Kassette. Sicher, man erkennt mich nicht auf dem Passbild, weil Ursula mich an dem Tag frisiert hat wie eine Portion Zuckerwatte und der Fotograf mich an die Wand gestellt hat wie eine Schwerverbrecherin, aber er ist gültig, und man kommt damit außer Landes. Bei Gertrud ist das so eine Sache. Ich kenne doch mein Trudchen, so, wie die organisiert ist, hat sie entweder gar keinen Pass, oder sie weiß nicht, wo er liegt, oder aber er ist abgelaufen seit zig Jahren.

Und genauso war es: «Gültig bis 28.02.2002» stand im Reisepass, und vom Foto lächelte mir eine gemütliche Mittfünfzigerin entgegen, die aussah wie Gertruds Tochter Gisela. Kinder, wie die Zeit vergeht! Ich muss wirklich die alte Fotokiste mal wieder rausholen und in Erinnerungen schwelgen. Sehen Se, das ist auch so eine Sache, die leider aussterben wird: die Fotokiste. Wie gern sitzen wir Weihnachten alle zusammen unterm Baum, kramen in der Kiste mit den alten Fotos und rätseln, wer das ist. Heute lässt doch kaum noch jemand Abzüge machen, alles nur digital!

Nun frage ich Sie: Wer von Ihnen glaubt, dass er in 50 Jahren noch das Passwort von Oma und Opa kennt und an Weihnachten beim Fäßbock gucken kann? Und selbst wenn, was gibt es da dann zu sehen? «Hier ist Oma, wie sie Dackfäß macht mit ihrer neuen Wimperntusche, und hier steht Opa nackig obenrum vorm Spiegel»? Hören Se mir auf, man will es sich gar nicht vorstellen.

Aber darum geht es ja gerade nicht, das fiel mir nur so ein bei der Gelegenheit. Ich fragte Gertrud selbstredend nach ihrem Reisepass, aber sie lachte nur. «Renate, du glaubst doch nicht im Ernst, dass ich ein halbes Jahr auf einen Termin im Bürgeramt warte und dann da den halben Vormittag rumsitze, nur um einen neuen Pass zu bekommen? Wozu brauche ich den denn? Ich bin 82 Jahre alt, wenn ich morgen tot umfalle, wird mich der Bestatter schon verscharren, ob mit oder ohne gültigen Reisepass. Unsere Reiseroute liegt in Europa, und da reicht überall der Ausweis. Da brauchen wir gar keinen Pass.»

Dem konnte man nichts entgegnen. Wissen Se, Gertrud ist nicht so eine gewissenhafte Person wie ich, die gern alles doppelt absichert. Ich weiß auch, dass man in Italien oder Spanien keinen Pass braucht, aber sicher ist sicher. Nachher verfährt sich das Schiff, und wir stranden in Afrika? Oder wir werden als Geisel genommen und entführt? Wie steht man denn da bei der Einreise, wenn sie einen befreien und dann vielleicht nicht mal nach Hause zurückbringen, weil man keinen Pass mithat? Nee, ich bin da vorsichtig. Oder man verliert den Ausweis? Es ist schon so viel passiert! Wenn man einen hat, kann man ihn auch mal mitnehmen, schließlich hat das Ding viel Geld gekostet. Wenn ich mich recht entsinne, habe ich seinerzeit über 50 Euro für den Pass bezahlt, das sind 100 Mark! Und die 10 Euro, die ich dem Fotografen für die fürchterlichen Bilder in den Rachen geschmissen habe, muss man noch dazurechnen.

✻

Dann kam der Tag unserer Abreise.

Auf dem Flugplatz ist mir immer mulmig, seit sie mich seinerzeit in das falsche Flugzeug gesetzt und statt zu meiner Tochter nach Köln nach London geflogen haben über Weihnachten. Das war eine Schose! Das habe ich Ihnen damals ja alles aufgeschrieben. Es war das verrückteste Weihnachten, was ich je erlebt habe, und bis heute wollen die mir das anhängen, dass ich schuld bin. Dagegen verwehre ich mich! Das bleibt jedoch an mir pappen, da kann man gar nichts machen. Aber ich bestehe darauf: Ich bin nicht falsch eingestiegen! Es ist nur passiert, weil sie mich falsch verfrachtet haben!

Wie dem auch sei, mir wird seitdem jedenfalls heiß und kalt, sobald ich einen Flughafen betrete. Nun reise ich nicht sehr oft mit dem Flugzeug, darum ist immer ein bisschen Aufregung dabei. Deshalb habe ich auch nicht protestiert, als Stefan sagte: «Tante Renate, wir diskutieren nicht, ich fahre dich und Tante Potter» – er sagt immer «Tante Potter», obwohl ihm Gertrud schon so oft angeboten hat, «Tante Gertrud» zu sagen – «zum Flughafen. So was passiert nicht noch mal!»

Ein richtiger Mann ist er geworden, der Stefan, seit er mit Ariane verheiratet ist und die kleine Lisbeth hat. Ich bin sehr stolz auf den Jungen. Wissen Se, normalerweise bestehe ich immer auf meiner Eigenständigkeit, aber da habe ich nix gesagt und es dankbar angenommen. Man muss auch seinen Stolz mal überwinden und darf die ausgestreckte Hand nicht zurückweisen. Wie viele alte Herrschaften wären glücklich, wenn sich die Jungschen so besorgt um sie kümmerten? Nee, ich muss dankbar sein, nicht nur, dass ich mich nach der Hüftoperation wieder so gut berappelt habe und dass ich in meinem Alter noch so gut beieinander bin, dass ich sogar in den Urlaub fahren kann, nein, auch weil ich eine Familie habe, die sich so lieb um mich sorgt. Soll Ariane Kohlrouladen aus der Büchse warm machen und meine Tochter ungespritzte Radieschen an Katzen verfüttern, damit die davon besser Eisprung kriegen – lassen Se die komisch sein und alle einen kleinen Knall haben, aber es ist meine Familie, die für mich da ist und die ich liebe.

Nee, Stefan konnte mich ruhig fahren. Immerhin hatte ich auch das neue Auto bezahlt. Er und Ariane waren sprachlos vor Freude und wanden sich wie die Aale, weil sie es nicht annehmen wollten, aber im Grunde freuten sie sich sehr. Es ist silber, hat vier Türen und war teuer. Ein FITA. Auch ein sehr hübscher Wagen, nicht so gediegen wie der Koyota von Kurt, aber so einen wollte Stefan nicht. Er sagte gleich: «Ich sehe das schon kommen, wenn ich da in die Werkstatt fahre, denken die, ich bin mit Onkel Kurt verwandt, und alle lachen. Nix da.»

Also entschieden sie sich für den FITA. Ich war bei der Probefahrt dabei, ach, schön ist das Auto! Es hat auch alles, was man braucht – einen Tank, vier Räder und ein Radio. Das kann sogar Musik vom Händi spielen – ohne Kabel! Ariane war leider gegen die hübschen Schonbezüge mit Rüschen, die ich gern noch dazu spendiert hätte, aber bitte. Die jungen Leute haben eben ihren eigenen Geschmack und sollen den Wagen so einrichten, wie er ihnen gefällt. Das Auto ist sparsam im Verbrauch und hat einen geräumigen Kofferraum. Ja, das ist wichtig, wenn man mit einem kleinen Kind reist – die Lisbeth vom Stefan, die ist jetzt zwei –, da muss man ordentlich Platz haben.

Mein Walter hat damals ja darauf geachtet, dass er zwei Kaninchenkisten in den Kofferraum bekam beim alten Opel. Er wollte so viele Rammler wie möglich in den Wagen reinkriegen, wenn er zur Ausstellung fuhr. Das war sein Kriterium, deshalb kauften wir das Auto. Ach, mein Walter … Entschuldigen Se, immer, wenn ich an ihn denke, kommen mir die Tränen. Ich vermisse ihn schon sehr. Ich muss mich mal schnäuzen, dann geht es gleich wieder.

So.

Stefan parkte flott. Ich war sehr verwundert, er fuhr einfach so rein in die Lücke, und dann war er auch schon fertig. Ohne dass er irgendwo angeeckt wäre oder ich ihn hätte einwinken müssen. Das bin ich von Kurt anders gewohnt.

Während Stefan noch Gertrud half, den Gurt abzuwickeln (ich werde das nie verstehen, wo die sich den immer überall drumwindet, man muss sie manchmal regelrecht frei schneiden!), hielt ich schon auf dem Parkplatz Ausschau nach einer Amtsperson, die ich nach dem Weg zu unserem Flugsteig befragen konnte. Der Herr war sehr höflich, schaute sich mein Flugbillett an und kratzte sich am Kopf. Er deutete den Weg zu unserem Schalter an und sagte, dass wir zur Sicherheit aber noch mal fragen sollten. Dann meinte er, ich sollte auf die Seite gehen, damit er mit der Kehrmaschine durchkommt.

Das konnte man ja nicht ahnen, dass der junge Mann von der Stadtreinigung war!

Am Schalter war schon eine lange Schlange, und ich flüsterte Gertrud leise zu, dass es diesmal nicht gut wäre, wenn sie wie sonst immer ihre Herzattacke simuliert. Dann nähmen die uns am Ende nicht mit. Nee, das konnten wir nicht riskieren.

Stefan schlug die Hände vorm Gesicht zusammen und warf ein, dass er das alles gar nicht wissen wolle und dass er froh sei, dass er nicht immer mitbekam, was wir «alten Weiber so abziehen».

Das konnte er haben. Eine Renate Bergmann hat immer noch ein Ass in der Bluse. So leidend ich konnte und so laut, dass es alle hörten, sagte ich: «Stefan. Nun sieh mal zu, dass wir drankommen, ich kann nicht mehr stehen, mir sticht die Hüfte.» Ich musste nur ein paarmal seufzen, dann wurden wir schon vorgelassen.

Die Einschickdame war sehr nett. Tscheck. Ich kann mir diese dämlichen englischen Begriffe alle nicht mehr so merken. Entschuldigen Se. Also, die Frau, die uns die Plätze im Flugzeug zuteilt und die Koffer abnimmt, Sie wissen schon, was ich meine.

Stefan erledigte alles für uns und überreichte mir die Quittungen für die Koffer und die Platzkarte. Ich verstaute beides in meinem Brustbeutel. Lassen Se das Ding noch so albern aussehen, aber es ist praktisch. Man hat die Hände frei, muss nicht in den vielen Manteltaschen kramen, wenn man was sucht, und Taschendiebe haben auch keine Schangse, wenn man den Beutel unter dem Mantel versteckt trägt. Das habe ich im Fernsehen gesehen, bei «Die Kriminalpolizei rät». Gertruds Scheine steckte ich ebenfalls ein, die würde sie nur verbasseln. Ich kenne doch Gertrud!

«Stefan, du kannst jetzt eigentlich nach Hause fahren. Nun kann doch nichts mehr schiefgehen!», schlug ich vor, aber Stefan ließ sich überhaupt nicht darauf ein und meinte nur, dass mir das so passen könnte. Er wollte erst gehen, wenn wir durch die Sekuritaskontrolle waren, ganz egal, wie teuer das Parken auch war. Es kostete am Rande bemerkt vier Euro pro angefangener Stunde, überlegen Se sich das mal! Diese Halsabschneider. Die nehmen es von den Lebenden.

Selbstverständlich schob ich Stefan diskret einen Zwanziger zu, fürs Fahren, für das Benzin und auch für das Parkgeld. Man muss sich schließlich erkenntlich zeigen, der Junge hat auch seine Ausgaben!

«Musst du nicht, Tante Renate. Tante Potter hat doch schon …», sprach er und zeigte mir einen Zwanziger, den Gertrud ihm zugeschoben haben musste. Das hatte ich gar nicht mitbekommen! Gertrud macht so was unauffällig wie ein oller Mafiaboss. Sie hat den Schein klein zusammengefaltet in der Handfläche, und dann greift sie sich die Zielperson, wuselt kurz an ihr rum, und wenn die erschrickt, weil sie das Papier in den Fingern spürt, schließt sie ganz kurz die Augen und nickt zweimal ganz, ganz kurz. Dann ist die Übergabe auch schon beendet, und sie entlässt den Beschenkten aus dem Klammergriff. Das geschieht so schnell, und wenn man sich selbst nur kurz den Schuh zubindet oder was in der Handtasche sucht, bekommt man das überhaupt nicht mit.

Wir stellten uns jedenfalls an die Schlange bei der Sekuritas und waren ganz fix dran. Wir winkten Stefan zum Abschied und zuckten gleich danach zusammen, als uns eine Madame mit Dutt böse anguckte. «Zeigen Sie mir mal bitte Ihre Bordkarten!», bellte uns die Strengfrisierte an.

Mich wunderte zwar, was die jetzt mit unseren Schiffskarten wollte, aber bitte. Wenn sie unbedingt wollte, sollte sie die kriegen, es war der erste Urlaubstag, und mir stand nicht der Sinn nach Ärger.

Ich setzte meine Handtasche ab (ich hatte die mit dem

breiten, gepolsterten Träger gewählt, wissen Se, die schnürt nicht so ein am Hals und auf der Schulter) und suchte in meinem Brustbeutel nach den gewünschten Dokumenten. Mit der Geduld der mürrisch guckenden Dame war es nicht weit her, sie trommelte mit ihren Fingernägeln auf dem Tisch und fragte nach nicht mal zwei Minuten schnippisch: «Meinen Sie, das wird heute noch was?»

So was kann ich ja leiden! Nun machte ich erst recht langsam und reichte ihr, nachdem ich die Weitguckbrille ab- und die Lesebrille aufgesetzt und alles genau nachgeprüft hatte, die Schiffsbilletts.

«Was soll ich denn damit?», fuhr sie mich an. «Die sind für Ihr Kreuzfahrtschiff!»

«Ja, Sie wollten doch die Bordkarten! Damit kommen wir an Bord des Dampfers, so hat die Frau im Reisebüro es mir erklärt.» So was. Muss ich mich von dem schlechtgelaunten Ding für dumm verkaufen lassen? Da ist sie ja bei mir richtig!

Sie blies die Backen auf und belehrte mich, dass sie diese kleinen Schnippel meinte, die wir nach dem Eintschecken bekommen hatten. Die Platzkarten. Soll sie das doch gleich sagen! Aber nein, die musste sich wichtigmachen und andere dumm aussehen lassen. Sehr unfreundlich. Sie belehrte mich dann noch wie eine Erstklässlerin, dass man beim Flugzeug auch «an Bord» sagt und dass die Fahrkarten «Bordkarten» heißen. Bitte schön, mir sollte es recht sein. Sie wog mit einem Haken noch meine Handtasche nach, fand aber keinen weiteren Grund mehr, mit mir oder Gertrud zu meckern.

«Sie kommen mal bitte mit!»

So ein etwas untersetzter älterer Beamter stellte sich genau vor Gertrud und versperrte ihr den Weg. Er hatte einen weißen Haarkranz, einen deutlichen Bauchansatz und war ein echter Berliner, kein Zugezogener. Das hörte man direkt.

«Ein andermal, junger Mann. Ich habe es eilig, unser Flugzeug geht gleich.» Wenn Gertrud nicht will, dann will sie nicht. Ich kenne sie! Gerade wollte ich ihr gut zureden, da wurde der Zollbeamte deutlicher. Ihm huschte so ein Zucken über den Mundwinkel wie bei Leuten, die sich ganz mühsam das Lachen verkneifen müssen.

«Jetzt zeijen Se mir erst mal bitte Ihren Ausweis oder Pass.» Er sprach sehr gemütlich, kumpelhaft und ein bisschen von oben herab. Es fehlte nur noch, dass er «Muttchen» zu ihr gesagt hätte!

Gertrud reichte ihm ihre Dokumente.

«Frau … Potter. Sehen Se, es ist nich so, dett ick Sie hier zu einem Kaffe einladen will und dett Se mir einen Korb geben können, wenn Se keene Lust haben. Ditt war keene Bitte, sondern eine Anweisung. Kommen Se bitte mit.»

«Darf Renate auch mit?», fragte Gertrud kleinlaut.

«Nein, allein. Der Zufallsgenerator hat Sie ausjewählt. Sie müssen in den Nacktscanner», erklärte er uns.

«Sie spinnen wohl. Da geh ich nicht rein!» Gertrud war bockig. «Ich ziehe mich doch hier nicht nackig aus!», rief sie und starrte mich mit weit aufgerissenen Augen an. «Ich habe gleich gesagt, wir hätten mit dem Bus verreisen sollen, Renate. Du immer mit deinen verrückten Ideen. Mit dem Flugzeug in den Urlaub! Und später noch auf ein wackeliges Schiff! In unserem Alter!» Sie hörte sich an wie Kirsten.

Mir schwante schon, warum sie sich so anstellte. Bestimmt hatte sie keine saubere Unterwäsche an. Ich kenne doch meine Gertrud, die denkt nicht an den Fall der Fälle! Ich würde nie ohne sauberen Schlüpfer aus dem Haus gehen. Wie schnell passiert was, und dann liegen Se auf dem Tisch beim Rettungsdoktor? Da will man sich nicht mit einem Unterhemdchen blamieren, das vielleicht schon ausgeleiert ist oder gar ein Loch hat! Gertrud achtet in dem Punkt nicht so auf sich, sie sagt: «Einen Mann interessiert es nicht, was eine Frau anhat, nur, wie er sie da rauskriegt.»

Es half alles Diskutieren nicht, Gertrud musste mit dem Herrn mitgehen. Ich hörte dann erst eine Weile nichts. Alles war ganz still. Wahrscheinlich erklärte er Gertrud die Apparatur. Aber dann vernahm ich die Stimme meiner Freundin.

«Fassen Sie mich da noch mal an, und ich haue Ihnen eine runter, dass Ihnen die Lichter ausgehen, Sie Rüpel!»

Kurz darauf klatschte es. Sie kennen bestimmt dieses Geräusch, wenn eine Hand auf einen Kinderpopo klapst? So in etwa. Nur dass dazu eine tiefe Männerstimme «Auuuuu!» schrie. Dann stampfte Gertrud raus aus der Kabine. Sie müssen sich das Ding so groß wie eine Telefonzelle vorstellen.

Wie Gertrud hinterher berichtete, musste sie sich gar

nicht nackend ausziehen. Sie musste nur die Tasche abstellen, die Jacke ablegen und sich breitbeinig hinstellen und die Arme über den Kopf heben. Dabei wurde ihr düselig, und der Kerl wollte nachhelfen und hat sie wohl etwas unsittlich berührt, als er ihr den Arm hochzerrte, und da hat Gertrud zugelangt. Da kennt sie nichts. Und ich sage Ihnen, Kraft hat sie, auch wenn sie nicht mehr so beweglich ist. Was meinen Se, was Norbert an der Leine zerrt. Gertrud hat in den Armen Muskeln wie so ein Boddibilder.

Während Gertrud sich noch pikierte, wollten sie mir nach dem Durchleuchten der Tasche doch tatsächlich die Haftcreme wegnehmen. «Flüssigkeiten über 50 Milliliter sind verboten», knurrte mich so ein jungscher Piefke an. Na, der hatte ja mal gar keine Ahnung! Langsam war es aber vorbei mit meiner guten Stimmung, nee, wissen Se, ich war auf Urlaub eingestellt und habe bei der Zicke mit dem strengen Dutt und ihren Bordkarten nichts gesagt, aber diese Unverfrorenheit jetzt war eine zu viel.

«Haftcreme ist keine Flüssigkeit, junger Mann!», stellte ich klar. «Wenn sie flüssig wäre, könnte die gar nicht haften. Sie haben bestimmt nicht mal im Entferntesten eine Vorstellung davon, wie die funktioniert. Was lernt ihr jungen Leute heutzutage eigentlich in der Schule? Ihr sprecht vier Sprachen und könnt mit Buchstaben rechnen, aber wozu Haftcreme gut ist, wie man Kartoffelpuffer brät und dass man oben auf der Rolltreppe nicht einfach stehen bleibt und in die Gegend stiert wie Hans-guck-in-die-Luft, das wisst ihr nicht!»

Ach, ich regte mich so auf, ich war richtig in Rage! Der Schnösel bekam wohl regelrecht Angst, dass ich die Zähne rausholen und ihm zeigen würde, wie Haftcreme aufgetragen wurde, jedenfalls legte er mir beruhigend die Arme auf die Schultern.

Als Gertrud sah, wie er mich da so anfasste, schrie sie ihn von weitem an: «Lassen Sie Renate los, sonst ballere ich Ihnen auch ein paar!»

Ich kürze hier mal ab. Wir atmeten alle erst mal tief durch und beruhigten uns, es hätte ja nichts gebracht, sich aufzuregen. Am Ende hätten die uns nicht mitgenommen! Gertrud hatte den Nackedei-Test bestanden, man glaubte ihr, dass sie kein Rauschgift schmuggelt. Jedenfalls hatten sie nichts gefunden. Und die Geschichte mit meiner Haftcreme nahm auch ein gutes Ende, denn es war zwar eine 75-Milliliter-Tube, aber ich konnte nachweisen, dass schon gut die Hälfte raus war. Damit lag ich unter der Grenze von 50 Milliliter und durfte mein Klebemittel behalten.

Wir machten drei Kreuze, als wir endlich durch waren. So ein Theater, sage ich Ihnen! Sollen die doch mal die richtigen Verbrecher kontrollieren, aber nee, sie greifen sich zwei Damen raus, weil sie denken, wir basteln Bomben aus Haftcreme und Thrombosestrümpfen und sprengen damit das Flugzeug in die Luft. Man kann nur den Kopf schütteln!

«Guck mal Gertrud, Beauty Free!» Ich zeigte auf den Laden, aus dem es so fein duftete. Parföng und teure

Cremes hatten die, sehr schönes Beauty-Zeuchs, und alles free? Na, da musste man doch zuschlagen! Wir trauten uns jedoch nicht, einfach was zu nehmen, es standen nämlich strenge Fräuleins mit eingefrorenem Lächeln an den Regalen, die alles bewachten. Die meinten das bestimmt anders mit dem «free». Gertrud und ich sprühten uns aber kräftig ein, und ich pumpte mir auch von der Körperloschn ein paar Stoß in mein Pillendöschen ab. Das tut der Haut gut! Was meinen Se, was ich schmieren muss. Ich habe recht trockene Haut, und es verschwindet auch ganz viel einfach in den Runzeln. Wenn man ein paar kleine Spritzer vom guten Tosca reingibt, duftet man sozusagen «Ton in Ton», merken Se sich den Tipp gern!

Gertrud hat so gebrochen wegen des Seegangs, aber die Möwen haben die meisten Brocken weggepickt.

Der Flug ist gut verlaufen, damit will ich Sie nicht langweilen. Die Flugzeugschaffnerinnen verteilten Kaffee und in Plastikfolie eingeschweißte Kuchenstückchen, die aussahen wie Kosmonautennahrung. Wir hatten schon Angst, dass sie uns höher fliegen als geplant, sage ich Ihnen! In Venedig wurden wir abgeholt mit einem Bus und zum Hafen gefahren, von dem aus wir in See stechen wollten. Das war alles sehr gut organisiert, und nett waren die auch, man kann nicht meckern. Ein Herr stellte sich auf einen Stein, fuchtelte mit einem bunten Regenschirm herum und rief, wir wären die «Reisegruppe Sonnenschein» und wir sollten um Himmels willen den Schirm nicht aus den Augen lassen, dann würden wir auch nicht verlorengehen.

Die kutschierten uns jedoch ohne Zwischenhalt vom Flugplatz zum Hafen, da frage ich Sie: Wie soll man während einer Busfahrt wohl verlorengehen? Allerdings werden die ihre Erfahrungen gemacht haben in all den Jahren mit den Senioren. Ach, es war ein bisschen schade, dass wir nicht einen Tag früher angereist waren und nicht noch in der schönen Stadt übernachtet hatten. Wie gern wäre ich mit Gertrud mit der Gondel durch die Kanäle geschiffert und hätte einen Herrn für uns «O Sole Mio» singen lassen, aber das heben wir uns eben für das nächste Mal auf. Wären wir einen Tag früher geflogen, hätte ich die Abfuhr der blauen Tonne verpasst! Außerdem hatte Gertrud einen Friseurtermin UND musste auch noch mit Norbert zum Impfen. Das ließ sich wirklich nicht alles verschieben, und so ist nun die Straße vom Flughafen vorbei am Schlachthof alles, was ich von Venedig in Erinnerung behalten habe.

Und dann sahen wir das Schiff vor uns. Groß und weiß und majestätisch schön hatte ich es mir vorgestellt, doch was da nun vor uns lag, sah eher aus wie so ein Plattenbau aus Berlin-Marzahn, den sie ins Wasser gesetzt hatten. Ich hatte ja schon erwartet, dass es ein riesengroßer Pott sein würde, aber so gewaltig … Man bekam fast einen steifen Nacken vom Hochgucken! Auch war die weiße Farbe nicht ganz reine. Selbst von weitem war Möwenschiet zu sehen, blitzeblank und pickobello war anders. Die würden hoffentlich noch durch die Waschanlage fahren, bevor wir ablegten? Kurt macht das auch immer vor jeder großen Fahrt mit dem Koyota. Er sagt, mit einem dreckigen Auto fährt er nicht. Das Auto ist die Visitenkarte des Fahrers, wenn das schmuddelig ist, wirft das ein ganz schlechtes Bild auf einen. Ilse kontrolliert übrigens ganz genau, ob die Fenster auch zu sind, seit Kurt damals … aber ich musste versprechen, dass ich Ihnen das nicht aufschreibe. Der arme Kurt. Es reicht schon, dass Ilse so mit ihm geschimpft hat und er mit dem Föhn drei Tage die Polster trocknen musste, da braucht er nicht noch mehr Häme.

Ach, es würde ein schöner Urlaub werden! Die Sonne strahlte, und der Himmel war so blau, man hätte Reklamefilme für Rum oder Kokoskugeln drehen können. Auch Gertrud war beeindruckt, sie stand da mit offenem Mund, und ein kleines Tränchen kullerte ihr aus dem Augenwinkel auf die Wange. Sehr, sehr glücklich sah sie aus, mein Trudchen.

«Renate», sagte sie leise, «das ist so schön. Dass ich das noch erleben darf, du kannst dir gar nicht vorstellen, wie glücklich mich das macht!»

Sie griff meine Hand und drückte sie fest, und nun wurde mir auch ein bisschen kloßig im Hals.

«Wir machen uns einen schönen Urlaub, Gertrud. Das haben wir uns verdient. Warte nur ab, es wird besser als Busfahren!»

Wir gingen zum Schalter, wo ein Fräulein namens Franziska-Beatrice laut jedem ihren Namen verkündete und auch gleich dazu sagte, dass sie sich um alles kümmern würde und wir jederzeit mit allen Anliegen zu ihr kommen könnten. Das würde ich noch testen, darauf konnte die sich gefasst machen.

«Geben Sie bitte alles bei mir ab, alle Sorgen, alle Nöte, alles, was Sie bedrückt – heute beginnt Ihr Urlaub. Den haben Sie sich verdient, und der soll die schönste Zeit des Jahres werden», säuselte sie auswendig gelernt. Man kennt ja diese freundlichen Sprüche, meist ist nichts dahinter. Wie beim Baumarkt. Denken Se sich nur, letzthin war ich mit Ilse und Kurt im Gartenmarkt, weil Gläsers einen neuen Übertopf für den Gummibaum brauchten, da kamen uns die Verkäufer alle lachend entgegen und grüßten. Wir waren so erschrocken! Die sagten tatsächlich «Guten Tag». Ilse und ich drehten uns überrascht um, ob wohl der Chef in der Nähe war, aber nee, war nicht. Den vierten grüßenden Mitarbeiter habe ich dann gefragt, was los sei. Man ist als Kunde ja ganz verstört bei so viel Freundlichkeit, das können die doch nicht ohne Vorwarnung machen! Ja, murmelte der Verkäufer, das wäre so, dass sie eine Schulung gehabt hätten und man hätte ihnen da eingeimpft, dass man die Kunden höflich ansprechen solle. Es ging so weit, dass er sogar beim Ausmessen des Übertopfes half, denken Se nur.

Es verflog aber ganz schnell wieder, als wir das nächste Mal im Markt waren, weil Kurt Scheibenreiniger für den Koyota brauchte. Da grüßte niemand mehr, und es half auch keiner, das Richtige auszuwählen. Ich war fast beruhigt, dass alles beim Alten war. Leider hat Kurt dann versehentlich Schaumbad gegriffen, und der Koyota macht nun immer Seifenblasen, wenn Kurt während der Fahrt die Frontscheibe wischt – mit dem Problem lassen se einen dann alleine stehen.

Nee, so ist es doch überall. Die machen einen auf freundlich, und wenn einer so überschwänglich säuselt wie die Beatrice-Franziska vom Dampfer, dann bin ich misstrauisch und lasse die erst mal kommen. Wir würden schon sehen, wie lange sie das durchhielt. Erst machen se einen auf eitel Sonnenschein, und wenn was ist, dann ist keiner zuständig, oder im Kleingedruckten steht das angeblich, dass ruhig Haare im Waschbecken sein dürfen. Nee, nee!

«Renate Bergmann, geborene Strelemann, aus Berlin. Guten Tach. Ich darf nicht Blut spenden, Fräulein Franziska. Streichen Sie mich bitte von Ihrer Liste. Die haben da eine Altersgrenze, ich weiß das genau, ich arbeite ehrenamtlich beim Roten Kreuz. Mit Anfang 70 spätestens ist Schluss!», stellte ich gleich klar.

Die Dame guckte verständnislos.

«Hier ist mein Impfausweis», sagte ich und dann noch mal ganz langsam zum Mitschreiben: «Einen Blutspendeausweis habe ich nicht, weil ich schon 82 bin!»

Das junge Ding war wirklich schwer von Begriff für ihr Alter und wusste überhaupt nicht, was ich wollte! So sind die, erst schicken sie Listen raus und ordnen Blutspende an Bord an, und dann weiß wieder die linke Hand nichts von der rechten.

Sie lächelte mich an und wechselte dann frech das Thema.

«Frau Bergmann», sprach sie, «wir brauchen noch Ihre Kreditkarte.»

«So was habe ich gar nicht, Fräulein. Ich verreise doch nicht auf Kredit! Was denken Sie denn von mir? Ich zahle selbstverständlich in bar. Vielleicht mache ich noch Schulden für einen Urlaub! Außerdem ist alles schon bezahlt, im Voraus und in bar. Gucken Sie bitte, hier!»

Selbstverständlich hatte ich in den Reiseunterlagen auch den quittierten Beleg des Reisebüros griffbereit im Brustbeutel. Mir so was zu unterstellen!

Man glaubt es wirklich nicht, was die von einem denken! Ich ließ mir von der Dame erst mal genau erklären, wer sie überhaupt war und was sie hier machte. Sie wäre die Hostess, erzählte sie, und ich sollte mir das vorstellen wie eine Hausdame im Hotel. Ich solle alle Sorgen, alle Nöte und alles, was mich bedrückte, bei ihr abgeben. Genau das hatte sie vor noch nicht mal fünf Minuten erst zu mir gesagt. So einer, die nicht mal genug Text hat, um sich mit mir mehr als zwei Sätze zu unterhalten, so einer sollte ich vertrauen? Na, da wusste ich Bescheid.

Das Hostessenmädchen erklärte es mir dann so: Eine Kreditkarte ist fast wie Euroscheck, nur mit Unterschrift und ohne TIM-Nummer. Oder so. So ganz genau wusste sie den Unterschied auch nicht. Kurzum, es ging darum, dass die nicht mit Kleingeld rumklimpern wollten auf dem Schiff, sondern es wurde alles abgebucht. Wir bekamen eine Extra-Schipkarte, die fast so aussah wie die von der AOK, nur dass sie nicht grün war und kein nackter Mann drauf war, sondern ein Schiff und Palmen. Mit der konnte man auf dem Boot alles bezahlen, und es wurde am Ende abgerechnet. Das war wirklich angenehm, kann ich Ihnen sagen – so musste man auch nicht jedem Kellner ständig Trinkgeld geben. Das sparte ordentlich!

Zur Sicherheit wollten die nun ein Konto wissen, von dem sie es abbuchen könnten im Fall des Falles, dass man sich unterwegs verdünnisierte. Das muss man verstehen, es gibt doch überall Spitzbuben und Halunken, die sich bei der Abreise, ohne zu bezahlen, davonschleichen. Wenn sie es vernünftig erklärt, hat man ja auch Verständnis dafür, aber sie kann mir doch nicht einfach mit «Kredit» kommen! Nee, diese jungen Dinger.

Wir hatten uns endlich an der Registrierung vorbei-gekämpft und unsere Schlüsselschipkarte bekommen, da lauerte uns ein Fotograf auf. «Zweia hüpscha Lädys, willkommen an Bord», rief uns ein aufdringlicher Herr mit Schuhcreme in den Haaren und Goldzahn entgegen. Dann schob er Gertrud und mich an einen Rettungsring aus Schaumgummi, der vor einer Fototapete mit Palmen stand. Gertrud und ich sollten uns an dem Ding festhalten. Wir waren ganz verdattert, und da rief er auch schon «Bitta lächeln – jetzt komme Vögelei», und bevor ich mich über-haupt sammeln und gegen diese schmutzige Ausdrucks-weise protestieren konnte, blitzte es auch schon, und ich erschrak so, dass ich bestimmt ganz verdutzt guckte auf dem Bild. Es war mir gar nicht recht. Wahrscheinlich wa-ren die Haare ganz zerzaust und überhaupt!

Der pomadige Schmierling sagte noch, dass wir die Fotos ab morgen anschauen und für nur 20 Euro kaufen könnten, drei Stück für 50 Euro. Na, da war es aber vorbei mit meiner guten Erziehung, sage ich Ihnen, dem habe ich was erzählt! Das sind 40 Mark, im Kopf rechnet man ja bis heute um. Für 40 Mark haben wir früher eine Woche Urlaub gemacht mit der ganzen Familie, und heute will der das für ein verwackeltes Foto, auf dem man zu allem Überdruss noch die Thrombosestrümpfe aus dem Flug-zeug trägt und den Brustbeutel vor der Jacke hängen hat wie ein Kind auf Klassenfahrt? Und das, wo der Abzug in der Drogerie nicht mal 10 Cent kostet, ich weiß doch Bescheid! Nee, habe ich zu ihm gesagt, und dass er sich seine Fotos in die gefärbten Haare schmieren soll. Wir hatten nichts unterschrieben, der konnte uns gar nichts. Ich verbot ihm auch, Gertrud und mich jemals wieder zu knipsen, ohne zu fragen. Ich hatte auf dem Scheibchentelefon einen Fotoapparat, das langte ja wohl hin. Kurzerhand nahm ich mein Händi heraus und machte einen Selfi von Gertrud und mir. Konnte der mal sehen.

20 Euro für ein Bild, ich bitte Sie!

Als wir dachten, dass wir nun endlich unsere Kabine gezeigt bekämen, standen schon die nächsten Damen auf dem Gang und lauerten uns auf. Bemalt und gespachtelt wie die Flugzeugschaffnerinnen, aber noch kürzere Röcke und viel höhere Pömps. Eine wollte uns Ausflugspakete verkaufen. Wir sollten auf einem Esel reiten durch die italienische Sonne und solchen Quatsch. Ich winkte nur ab und tat so, als würde ich kein Deutsch verstehen. Gertrud verstand sowieso nichts mit ihren Hörgeräten und staunte nur mit offenem Mund weiter über die Größe des schönen Schiffes.

Eine andere wollte uns Getränkepakete aufdrängeln. Wissen Se, wenn man schon im Urlaub ist, dann geht man an die Bar oder ins Restaurant und trinkt da was und legt sich nicht Pakete auf die Kabine zum Selberzapfen. Wir hatten alles inklusive, und Korn hatte ich im Koffer dabei. Nichts da, ich würde hier nichts dazubuchen und unterschreiben! Das kam einen am Ende nur teuer. Es fehlte bloß noch, dass sie uns ein kostenloses Probeabi von der Tageszeitung andrehten. Abo. Himmel herrje, wenn man die Brille nicht aufhat. Abi auf Probe, so ein Quatsch.

Obwohl, wenn ich mir die jungen Leute so angucke, vielleicht wäre es besser, wenn die das Abi erst mal auf Probe kriegten? Wenn sie nichts Dummes anstellen, dürfen se es behalten, wenn nicht, läuft es automatisch aus. Sollte man mal drüber nachdenken.

Wie auch immer, ich hakte Gertrud fest unter, wissen Se, sonst unterschrieb die wieder was. Bei ihr muss man so aufpassen! Die lässt wildfremde Leute, die an der Tür läuten, in die Wohnung, brüht ihnen Kaffee und unterschreibt alles, was die ihr vorlegen. Einmal im Monat muss ihre Tochter Gisela wieder alles kündigen, was sie abgeschlossen hat. Gertrud hat mittlerweile drei Staubsauger, bei denen Gisela die Kaufverträge nicht mehr kündigen konnte. DREI! Für jedes Zimmer einen.

An jeder Ecke lauerten sie mit Ausflügen und Zusatzkrams. Die machten einem fast Angst, dass man bei Wasser und Brot im Maschinenraum nächtigen musste, wenn man nicht ganz schnell noch was dazukaufte. Nichts da, wir hatten alles, was wir brauchten, und wollten jetzt nur noch in die Kabine.

Wir sollten mit dem Fahrstuhl in den blauen Flur fahren. Ein Fahrstuhl auf einem Schiff, Sachen gibt's! Wohl alle paar Meter standen nette junge Leute, die strahlend lächelten und uns in allen Sprachen der Welt einen angenehmen Aufenthalt und einen schönen Urlaub wünschten. Alles war sehr aufregend, und wir waren gespannt, was uns erwarten würde. Gertrud wurde immer einsilbiger, was mich besorgte. Sie blieb ein paarmal stehen, pustete durch und wischte sich den Schweiß von der Stirn.

«Renate», eröffnete sie mir dann, «mir ist irgendwie übel. Reineweg schlecht. Das wackelt so!»

Ach du liebe Zeit, das fehlte noch, dass Gertrud seekrank wurde! Dagegen hatte ich auch kein Mittelchen in die Handtasche gepackt, das stand ja so nicht auf der Tscheckliste vom Automobilclub. Wie soll man auch im Auto seekrank werden? Höchstens, dass man aus Versehen in einen See fährt. Aber da hilft dann auch keine Tablette mehr.

«Trudchen, du legst dich gleich ein bisschen hin, und dann sehen wir weiter. Lass uns erst mal unser Stübchen finden!»

Ich hatte mich für gediegene Reisegarderobe entschieden. Bequem, leicht und luftig, weil es im Süden schon ordentlich warm sein würde, und doch zurückhaltend. Natürlich hatte ich auch eine Übergangsjacke einstecken, falls es zugig würde, und selbstverständlich das Abendkleid, das Ilse mir geschneidert hatte. Zum Kapitänsdinner würden wir in großer Toilette gehen! Der Chef auf dem Schiff hieß Holm-Bertelsen. Auch wenn wir ihn noch nicht zu Gesicht bekommen hatten, wusste ich Bescheid. Ich hatte es im Interweb nachgelesen. Ein sehr stattlicher Mann. Ich hatte das Kleid ganz sorgsam in Seidenpapier eingeschlagen, und es lag obenauf im Koffer, damit es so wenig wie möglich litt. Ganz war das sicherlich nicht zu vermeiden, aber es würde sich schon gut aushängen, und mit dem Reisebügeleisen würde ich die letzten Knitter ausdämpfen.

Wie ich schon ahnte, machte sich Gertrud nicht so viele Gedanken um ihre Garderobe, obwohl ich das Thema mehrfach eindringlich angeschnitten hatte. Gertrud kümmerte es schon im Alltag nie, was sie trägt. Es hat mich über 50 Jahre gekostet, ihr einzubläuen, dass man auf Beerdigungen Schwarz trägt. Früher kam sie selbst da an wie Stolpes Frieda aus dem Stall vom Melken. Und im Urlaub kennt sie dann gar keine Tabus mehr.

Mir schwante schon das Schlimmste, und jawoll, Gertrud enttäuschte mich nicht: weiße Hosen, ein roter Umhang wie ein Stierkämpfer in Spanien und dazu ein Strohhut mit breiter Krempe. Da können Se schon sehen, dass sie kein bisschen mitdenkt. Weiße Hosen auf der Reise! Man geht keine fünf Meter und hat die ersten Staubflecken, vom Gekleckter mit dem Essen im Flugzeug ganz zu schweigen. Was vom Strohhut noch übrig war, nachdem er in das Gepäckfach im Flugzeug gequetscht wurde, können Se sich ja denken. Gertrud trug nicht mal Thrombosestrümpfe, überlegen Se sich das mal!

Gertrud hat, bis sie in Rente gegangen ist, als Köchin gearbeitet. Aus dieser Zeit hat sie noch weiße Arbeitshosen, die hat sie seinerzeit einfach mitgehen lassen am letzten Tag. Hat keiner was gemerkt!

Tatsächlich hatte sie noch vier Paar von den Prachtstücken im Koffer und trug die ollen Lumpen fast ständig. Die haben Dehnbund, die gehen ja mit. Die anderen Reisenden starrten uns nach, ach, das war mir sehr unangenehm. Gertrud jedoch genoss es, im Mittelpunkt zu stehen. Sie deutete jeden Blick als Kompliment und strahlte. Ein Herr pfiff süffisant und raunte ihr ein «Schick, schick!» nach, was er aber nicht ernst meinte. Das sah man an seinem Blick, der wollte sie verklapsen. Gertrud merkte das nicht, oder es störte sie nicht, ich kann das nicht so genau sagen. Sie winkte ihm mit ihrem Stock zu und rief: «Berufsbekleidung. Damit ist man immer flott, finden Sie nicht auch?»

Und damit begann ein ganz großes Missverständnis. Schon im Flugzeug hatten wir Herrn und Frau Bömmelmann aus Dresden kennengelernt, Herbert und Gittl. Eigentlich nennt man die Frau zuerst, oder? Also, Frau und Herrn Bömmelmann, Gittl und Herbert. So ist es richtig. Die beiden starteten von Berlin aus gemeinsam mit uns und hatten dieselbe Kreuzfahrt gebucht, denken Se sich nur! Gertrud und ich finden eigentlich immer rasch Anschluss auf Reisen und treffen nette Menschen. Nun also die Bömmelmanns.

Herbert war ein bisschen von hinterm Mond und deutete Gertruds «Berufsbekleidung» falsch. Er hielt Gertrud nämlich nicht für eine Köchin, sondern für eine Ärztin. Und da seine Gattin, die Gittl, nicht die diskreteste Person unter Gottes Sonne war, sondern vielmehr mit jedem gern schnatterte, der nicht ganz schnell die Füße in die Hand nahm, machte das sofort die Runde, und Gertrud war vom ersten Tag an als «die alte Frau Doktor aus Spandau» schiffsbekannt. Alle grüßten Gertrud mit Respekt und Hochachtung, sie musste ständig alle möglichen Zipperlein begutachten und Ratschläge geben. Mir war das kreuzpeinlich, aber wissen Se, meine Tochter ist so eine Art Esoterik-Heilerin und macht auch mit wildfremden Leuten einfach Atemübungen oder eine spontane Tanztherapie in der Fußgängerzone. Von der Seite bin ich also Kummer gewohnt und erfahren darin, solche Spinnereien mit Grandezza zu ertragen und einfach zu ignorieren.

Gertrud war sehr geschickt, ich staunte. Sie schwindelte nicht, sie stellte es lediglich nicht klar. Sollte se ihren Spaß haben, immerhin hatten wir Urlaub. Mir war es egal. Gertrud sammelt ja Beipackzettel von Medikamenten und liest die auch, sie kennt sich dadurch besser mit Medizin aus als so manche Doktersche, die alten Leuten bloß Blutdruckpillen aufschreibt.

Sind wir doch mal ehrlich: Wenn die nicht in ihrem Computer nachgucken, können viele nicht mal Husten von einem gebrochenen Bein unterscheiden! Gertrud hielt sich auch immer bedeckt und machte keine wirklichen medizinischen Behandlungen, sondern gab Tipps wie «Essen Sie viel Gemüse», «Ein Spaziergang an frischer Luft wirkt da Wunder» oder «Dann spannen Sie auf der Reise mal schön aus und zeigen es, wenn Sie nach Hause kommen, Ihrem Hausarzt». Sonst hätte ich aber auch eingegriffen und die Sache aufgeklärt, sage ich Ihnen! So jedoch war es sehr angenehm, und wir genossen sogar Vorteile. Die von der Reederei schickten jeden Tag einen Obstkorb und frische Blumen in unsere Kabine für die Frau Doktor aus Spandau.

Selbstverständlich teilten wir uns eine Kabine. Wissen Se, wir kennen uns, seit wir Schulmädchen waren, da ist man nicht verdruckst und hat sich nicht dumm. Gertrud ist keine angenehme Schlafgenossin, aber zwei Einzelkombüsen wären nun doch zu teuer gekommen. Gertrud schnarcht, wissen Se. Sie streitet das immer ab, aber ich habe es mit dem Glasscheibchentelefon aufgenommen und es ihr gezeigt. Fuchsteufelswild ist sie geworden und hat behauptet, das wäre sie nicht, sondern ein fremder Mann mit einem Lungenleiden. Daraufhin habe ich einen Tag nicht mit ihr gesprochen – mir so was zu unterstellen! Wie soll ich denn zu einer Aufnahme eines fremden Mannes im Bett kommen? Ich bitte Sie! Diese Zeiten sind vorbei. Der nächste Mann, der mich im Bett sieht, ist entweder der Notarzt oder der Bestatter, je nachdem, wer schneller ist.

Das Schnarchen ist aber nicht das Schlimmste an Gertrud. Ich hatte Ohropacks im Reisegepäck und verfüllte mir die Ohren damit. So ließ es sich aushalten. So HÖRTE man auch ihren Reizdarm nicht. Trotzdem ließ ich das Bullauge offen, denn in die Nase mochte ich mir nicht auch noch die Kügelchen vom Ohropacks stopfen. Ganz im Vertrauen: Es wird immer schlimmer mit Gertruds Reizdarm. «Die knattert wie eine Stalinorgel», hat Kurt neulich gesagt, als wir bei Gläsers in der guten Stube saßen an Ilses Geburtstag und Gertrud gerade austreten war. Er hat das Fenster angekippt, und auch wenn es etwas frisch war und zog, war das viel angenehmer.

Gertrud unternimmt aber auch nichts dagegen, es ist ganz fürchterlich! Man kann doch ein bisschen darauf achten, was man isst. Am ersten Abend, als wir zum Essen in den Speisesaal gingen, versuchte ich, sie zu überrumpeln. «Trudchen, bleib du mal hier und pass auf unsere Plätze auf. Ich mache dir einen Teller fertig am

Büffet.» Ich füllte ihr ein bisschen gedünstetes Gemüse auf, einen Klecks Kartoffelbrei, ein kleines Schnitzelchen und sogar Nachtisch brachte ich ihr mit. Die hatten den Pudding versehentlich in Schnapsgläser gefüllt und vergessen umzurühren, aber das machte ja nichts. Es war sogar ganz praktisch, so konnte man Vanillepudding UND rote Grütze probieren und war nicht vollgefüllt wie eine Stopfgans. Und was machte Gertrud? Sie verputzte dankbar den Teller und sprach: «So, nun bleibst du mal hier, und ich hole mir Nachschlag.» Sie kam wieder mit einem Berg auf dem Teller, mit dem man wohl eine halbe Kompanie satt bekommen hätte. Bohnensalat, Rindsbraten mit Röstzwiebeln und Weißkohlrohkost.

Ich möchte gar nicht näher beschreiben, was in der Nacht los war, das wäre nicht fein, aber da war Disco im Gedärm! Mir ist es auch ein Rätsel, wie sie bei dem Sturmfeuerwerk ihre Medikamente drin behielt. Sie nahm sie nämlich nicht oral ein, wenn Se verstehen, was ich meine. Aber bitte, mir sollte es egal sein.

Immerhin, ein Problem hatten wir nicht: Sie ist es gewohnt, sich ganz schmal zu machen, und rutschte nachts nicht rüber auf meine Seite. Zu Hause schläft nämlich der Hund bei ihr im Bett. Norbert ist nun ausgewachsen und geht mir bis zur Brust. Er ist riesig. Fast wie ein Kälbchen. Denken Se sich mal ein Kälbchen in Ihr Bett, dann können Se ungefähr abschätzen, wie viel Platz man da noch für sich hat.

Für mich käme es überhaupt nicht in Frage, mit einem Tier das Bett zu teilen, aber Gertrud ist da anders. Mein

Kater darf in die Küche und in die Wohnstube und dort auch sehr gern auf die Couch, aber die Schlafstube ist tabu für ihn. Das weiß der auch ganz genau! Er bleibt an der Türschwelle stehen und guckt höchstens mal rein, wenn ich die Fransen der Bettumrandung schampuniere. Ich sage dann nur mit tiefer Stimme «Freundchen!», und schon verzieht er sich ganz schnell in das Körbchen.

Ach, das Katerle ist ein so liebes Tier. Ich habe ihn jetzt schon drei Jahre, das ist lange. Früher haben die mir im Tierheim immer nur Katzen mitgegeben, von denen sie dachten, dass sie noch weniger Lebenserwartung haben als ich. Die sind schon so alt und krank gewesen, dass die immer nach ein paar Monaten eingegangen sind. Ich habe es aber nicht übers Herz gebracht, sie deswegen abzulehnen. Immerhin hatten sie noch ein paar schöne Wochen bei mir. Aber als der Platz in Gläsers Garten, wo ich sie immer begraben habe, langsam knapp wurde, habe ich doch mal um ein Tier gebeten, bei dem die Schangse bestand, dass man es über den Winter bekommt. Sie haben mir Katerle gegeben, der ist jetzt elf Jahre und ein ganz ruhiger, lieber Kerl. Man sagt ja immer, man muss mal sieben rechnen, dann wäre Katerle jetzt 77 und in etwa in dem Alter wie Erwin Beusel. Das kommt hin. Er ist kastriert, aber trotzdem ist der Geschlechtstrieb noch nicht ganz aus ihm raus. Sie sollten mal sehen, wie der den Miezen nachguckt! Also, Katerle. Nicht Erwin. Ach du Schreck, jetzt habe ich aber … nein! Erwin ist nicht kastriert. Aber sonst ist er genau wie Katerle!

✳

Ich hatte wirklich mit allem gerechnet, aber nicht damit, dass Gertrud seekrank werden würde. Sie ist so robust, in jeder Hinsicht. Vom Gemüt über die Gesundheit bis hin zur Figur. Gertrud steht wie eine deutsche Eiche im Wind, sagt ihr Lebensgefährte Gunter Herbst immer. Sie selbst hatte das auch nicht erwartet, sonst hätte sie bestimmt eigene Reisetabletten eingesteckt. Gertrud ist sonst wirklich nicht empfindlich, sie kann sogar rückwärts sitzen im Bus und dabei essen, sie kann während der Autofahrt lesen und dabei essen, und als sie noch ein kleines Mädchen war, da musste ich sie auf der Schaukel immer anschubsen, dass sie fast einen Überschlag gemacht hätte. Dabei hat sie ausnahmsweise nichts gegessen. Eine ganz wilde Hummel ist Gertrud, bis heute führt sie bei jeder Feier die Polonäse an und tanzt den Ententanz. Aber seekrank werden … das wunderte mich.

Alle hatten vorher gesagt, dass es sehr unwahrscheinlich wäre, dass jemandem übel wird. «So ein riesiger Pott liegt im Wasser wie ein Stein, so stark können die Wellen gar nicht werden, dass die den bewegen», tat Kurt unsere Bedenken brummig ab.

Als wir das Schiff betraten, merkte man erst auch gar nichts. Alles war still und ruhig, nichts rührte sich. Gertrud machte trotzdem nur kleine, vorsichtige Schritte und hielt sich am Geländer fest. «Mir ist ganz unheimlich, Renate», sprach sie, und zunächst verging es auch und sie hielt noch an sich. Wir gingen zum Ablegen hoch auf das Deck zu den anderen Passagieren. Dort winkten wir, obwohl gar keiner im Hafen stand, der uns zurückwinkte, aber es machten alle so, und da wollten wir uns nicht ausschließen. Man will ja keinen Ärger und noch nachbezahlen, weil man vielleicht nicht richtig gewinkt hat. Vom Band lief ganz leierig schöne Fiedelmusik von Ronda Veneziano. Ach, das passte so schön zu Venedig! Kennen Se die noch? Lauter junge Leute, die sich mit großen Perücken verkleiden und aussehen wie die Mozarts und so schön geigen. Wirklich feierlich und zauberhaft.

«Immer tief ein- und ausatmen», riet ich Gertrud, wenn sie wieder blass um die Nase wurde. Ich kam mir vor wie Kirsten, die mir auch immer diese Atemtipps gibt. Allerdings wegen der Schakren und damit die Energie besser fließt und so ein Blödsinn. Bei Gertrud wollte ich erreichen, dass sie nicht brechen muss, und da hilft tief einatmen immer noch am besten.

Ein Schwarm Möwen umkreiste Gertrud, die ahnten offenbar schon, was bald käme. «Immer schön ein- und ausatmen.» Kirsten wäre stolz auf mich gewesen. Ich stützte Gertrud und half ihr, vorsichtig zu unserer Kabine zu gehen.

Endlich standen wir vor der Türe mit der richtigen Nummer. 2442. Ich schob die Brille hoch auf die Nase und guckte zur Sicherheit noch mal ganz genau, schließlich will man nicht in ein falsches Zimmer gehen und am Ende noch Menschen in Flanell erwischen oder gar in flagranti? Nein, wir waren genau richtig. Die Nummer auf der Tür stimmte mit der auf dem Schiffskärtchen überein. Wir waren beide sehr gespannt, wissen Se, wenn man fast drei Wochen hinter der Tür zu Hause ist, die sich gleich auftut, dann will man es schließlich auch hübsch haben, nicht wahr?

«Trudchen, mach du auf, ich bin viel zu aufgeregt», stieß ich Gertrud an. Sie frickelte mit der Karte vor der Tür rum, aber es gab kein Schloss! Die immer mit ihrem modernen Kram. Anstatt da einen richtigen Schlüssel einzubauen, nee, da hängen sie was mit Elektrisch hin, und dann stehen Se da. Ich hatte es auch schon mal, dass es einen Schlitz gab, in den man die Karte schieben musste. War hier aber auch nicht. Gertrud grackelte am Türknauf, und auf einmal, als sie die Karte an die Stelle drückte, wo eigentlich das Schlüsselloch ist, und gleichzeitig den Knauf drehte, da ging es plötzlich auf. Es war nicht leicht, das so hinzukriegen, was meinen Se, wie oft ich in den folgenden drei Wochen vor der eigenen Tür stand, wild mit der Karte fuchtelte, am Knopf drehte und mich mit der Schulter gegen die Tür warf. Wie ein Trickeinbrecher kam ich mir vor, nee, fürchterlich! Die mit ihrer neumodischen Technik!

Wir waren jedoch nicht die Einzigen, die Probleme damit hatten, fast alle Passagiere warfen sich gegen die Türen. Auch der Herr Pelzer, und zwar nicht nur gegen die eigene Tür, sondern vor allem gegen die Türen von alleinreisenden Damen. Soll mir keiner erzählen, dass das immer ein Versehen war, der Pelzer, das war ein ganz Gewiefter! Dem sind wir, soweit es ging, aus dem Weg gegangen. Gertrud und ich hatten auch meist einen Stuhl von innen unter der Klinke verkeilt, wenn wir in der Kabine waren, und hatten den Regenschirm griffbereit auf dem kleinen Tischchen liegen, um ihm im Fall des Falles eins überzuziehen. Sicher ist sicher.

Aber egal, ich wollte Ihnen eigentlich erzählen, wie unser Zimmer – also die Kajüte – war. Wir hatten es gut getroffen, man konnte wirklich nicht meckern. Man sagt wohl Kombüse auf einem Schiff, oder? Kabine? Ich glaube, Kabine. Doch, wirklich schön war unser Zimmerchen. Alles war schick und klassisch und dabei nicht übertrieben protzig und aufgemotzt.

Wissen Se, ich hatte nicht geknausert beim Buchen – ich sage immer: Mitnehmen kann man nichts! Das letzte Hemd hat keine Taschen. Und wenn ich mal gehe, soll bitte noch genug da sein, um mich mit Anstand unter die Erde zu bringen, aber den schönsten Sarg auf dem Friedhof muss ich auch nicht haben. Sieht ja eh keiner mehr, wenn der in der Grube ist. Meine Einstellung ist: Man muss mit seinem Geld nicht heizen, das nicht. Aber ich muss auch nicht in einen Schlafsaal mit Doppelstockbett und ohne Fenster, und nachdem ich heimgerufen wurde, nimmt meine Tochter das Geld und kauft davon Massagebänke für traumatisierte Meerschweinchen. Lieber ein Balkon für Gertrud und mich als Wellness für Nager, Tierliebe hin oder her.

Der Balkon kam übrigens nur 100 Euro teurer, weil es eine Aktion war. Außerdem war es Frühbucherrabatt. Die rechnen das alles hin und her, wenn Se mich fragen, ist es eine einzige Mauschelei. Wir hätten auch 200 Euro Rabatt kriegen können, wenn wir Seniorenmenü gebucht hätten, aber ganz ehrlich: Wenn ich nach Spanien, Griechenland und Italien verreise mit dem Dampfer, dann will ich nicht eine halbe Bulette mit einem Teelöffel Quetschkartoffeln zum Mittag. Da kann ich auch gleich Urlaub im Altenheim machen. Nee, da schlägt eine Renate Bergmann auch mal über die Stränge, schließlich lebt man nur ein Mal. Als ich das Schiff ausgesucht habe, habe ich nicht auf den Pfennig geguckt. Da spare ich nicht am falschen Ende!

Und ich sage Ihnen, es hatte sich gelohnt. Gertrud stieß die Tür endlich ganz auf, und da lag das Zimmer in all seiner Pracht vor uns. Wunderhübsch und modern war es eingerichtet! Es gab ein großes Doppelbett, schön hoch, dass man auch bequem aufstehen kann, nicht so eine Pritsche zehn Zentimeter über dem Boden, wo einen jemand mit beiden Händen hochziehen muss. Die Bettdecke war von guter Qualität, da habe ich einen Griff für. Wenn einem die Federkiele schon entgegenstechen, dann ist das minderwertige Ware, da hat man keine Freude dran. Aber das hier war feine, weiche Daune, 1a. Auch die Bezüge waren hübsch; ganz dezent in edlem Weiß, elegant in sich gemustert an der Biese. Da konnte man sich bei Gott nicht beklagen. Der Balkon war klein, aber es war Platz genug für zwei Stühle und ein kleines Tischchen, auf dem man die frische Luft würde genießen können. Gertrud konnte sich leider nicht so richtig freuen, denn ihr machte das Schwanken des Dampfers mehr zu schaffen als erwartet.

«Renate, mir ist richtig schlecht. Es kommt so in Wellen wie aufsteigende Hitze. Hoffentlich muss ich nicht doch noch brechen.»

Sie setzte sich aufs Bett und legte die Jacke ab. Ich hätte ihr selbstverständlich Reisetabletten aus meiner Kofferapotheke gegeben – das wissen Se ja, dass ich da gut ausgestattet bin –, aber Gertrud hat eine solche Panik vor den Nebenwirkungen, die studiert immer erst eine Stunde den Beipackzettel und macht es alles sehr kompliziert. Und die sind auch nicht speziell für Seekrankheit. Nee, wir würden den Bordarzt aufsuchen und uns beraten lassen, gleich nachdem wir uns frisch gemacht hatten. Ich vermutete ja, dass sie den Herrn einfach nur kennenlernen wollte, aber bitte. Das Vergnügen sollte sie haben.

Sie hatten überall Spiegel aufgehängt in der Kabine, damit es größer aussieht. Das wäre gar nicht nötig, es war alles gediegen und großzügig eingerichtet. Gut, ein bisschen größer hätte sie sein können, aber es hat ja auch was für sich, wenn man nicht immer aufstehen muss, wenn man was braucht, sondern alles vom Bett aus bequem erreichen kann. Schöne Auslegeware gab es, ganz feiner Flor, in sich gemustert. Unempfindlich und gut zu pflegen, eine Hausfrau sieht so was. Es war auch alles sehr sauber, ich wischte gleich zur Kontrolle über den Bilderrahmen und oben auf dem Schrank mit dem Zeigefinger lang. Kein Staub, nix, sogar das Fenster war streifenfrei reine. Ich nickte anerkennend und öffnete die Tür zur Badestube. Man konnte sich wirklich nicht beschweren, es war alles blitzrein und schick. Eine Badewanne gab es nicht, aber das musste auch nicht sein. Man hatte schließlich Schwimmingspools überall auf dem Schiff, so stand es zumindest im Prospekt. Dafür gab es eine Dusche mit tiefem Einstieg und einen Hocker. Doch, die waren auf uns fortgeschrittene Semester sehr gut eingestellt.

Ich war zufrieden. Nur um Gertrud machte ich mir ein bisschen Sorgen. Sie wurde immer blasser und sagte nicht viel.

«Renate, mir ist speiübel. Lass uns bloß bald zum Doktor gucken, der muss mir was geben. Es wackelt alles! Merkst du denn nicht, wie alles schwankt?»

Sie lag still auf dem Bett, alle viere von sich gestreckt. Es wackelte und schwankte gar nichts! Also, ich merkte zumindest nichts. Bei mir war alles in Ordnung. Zur Sicherheit und zur Vorbeugung gönnte ich mir trotzdem einen kleinen Korn zur Stärkung. Gertrud wollte keinen Muntermacher, sondern den Doktor.

«Gertrud, wir müssen erst die Rettungsübung abwarten. Vorher passiert hier gar nichts.»

Es lag ein Blatt Papier auf dem Bett mit schöner großer Schrift, auf dem alles noch mal geschrieben stand. Nach dem Einschiffen sollten wir auf der Kabine bleiben, den Alarmton abwarten, danach gesittet und ruhig auf den Gang kommen und den Anweisungen folgen.

Gertrud war schon ganz grün im Gesicht, als schließlich der Alarm piepte wie das SOS-Armband von Frau Schnollinger, wenn der Blutdruck durch die Decke geht.

Alle liefen aus den Kabinen auf den Flur, aber da ging es nicht weiter, weil sich alle gegenseitig vor den Füßen rumstanden. Fräuleins mit Rettungswesten standen überall rum und winkten wie die Schaffnerinnen im Flugzeug, wenn die am Anfang was erklären. Sie scheuchten uns zu einem Sammelpunkt, der auf dem Kärtchen stand. Dort stand ein Mann, der sich für sehr wichtig hielt, mit einem Megaphon. So eine Flüstertüte, kennen Se? Wie früher in der Werbung. Nur dass der nicht «Winterschlussverkauf bei C&A!» brüllte, sondern uns in Reihen antreten ließ, damit man uns besser zählen konnte. Ich hielt Gertrud fest untergehakt, ihr war mittlerweile so schlecht, dass ich jederzeit damit rechnete, dass sie mir abklappt.

«Ruhig und tief atmen, Trudchen, und wenn du merkst, dass du brechen musst, versuch, in die Tüte hier zu treffen», redete ich beruhigend auf sie ein. Um uns herum hatten wir auf einmal ganz viel Platz. Den Trick muss ich mir merken, wenn sie an der Kasse bei Rewe mal wieder so drängeln, dachte ich bei mir. Gertrud sah wirklich elend aus, und ich machte mir große Sorgen um sie. Sie sprach nicht viel, aber einmal sagte sie: «Renate, so schlecht war mir nicht mehr, seit ich mit Gisela schwanger war vor über 50 Jahren.» Ich tupfte ihr tröstend den kalten Schweiß von der Stirn und versprach, ihr einen Kamillentee zu brühen, wenn wir zurück in unserem Zimmer wären.

Der Herr vom Sammelpunkt führte uns weiter auf das Außendeck. Es war ein Gedränge, nee, fürchterlich! Ein Gewimmel und Getrampel wie damals nach der Wende, als sie das Begrüßungsgeld ausgegeben haben. Sie machen sich kein Bild. Alle schoben sie und schubsten, man wollte sich da gar nicht vorstellen, dass es wirklich mal um Leben und Tod geht. Als wir endlich die Treppe rauf waren und auf dem Deck standen – immerhin waren wir fast alles reifere Leute, die nicht mehr so gut zu Fuß waren! –, mussten wir dort zusammengepfercht wie die Ölsardinen ausharren und hörten uns geduldig an, dass ein Notfall im Grunde ja ausgeschlossen sei, aber dass wir für den Fall der Fälle nun wüssten, wo wir hinzulaufen hätten, sollte einmal der Alarmton piepsen. Über unseren Köpfen hingen die Rettungsboote. Hoffentlich langten die hin! Ich würde das alles nachzählen, wenn es Gertrud ein bisschen besser ging. Man weiß doch spätestens seit dem Film mit der Titanic, wie die da schludern!

So standen wir da mit unseren Rettungswesten und merkten genau auf. Ich prägte mir den Weg von der Kabine bis hierher ein, das war fast so wichtig wie der Weg zum Frühstücksraum. Wenn wir wirklich untergehen würden, wollte ich nicht durch die Flure irren. Der Megaphon-Mann war erst ein bisschen nervös bei seinen Ansagen und ratterte es ganz schnell runter, aber zum Ende hin fand er sich witzig und machte kleine Späße. «Wenn wir untergehen, werfen wir erst die Dicken über Bord, um Gewicht zu verlieren. Also, schlagen Sie nicht zu doll zu beim Essen», alberte er. Die Männer zogen ihre Bäuche ein, genau, wie sie es am Strand machen, wenn so ein Ding mit Strippen-Schtring bis in die Poritze vorbeistolziert. Viele Frauen nestelten an ihren Strickjacken rum. Lachen tat keiner. Der Witzbold sagte durch, dass die Übung nun beendet sei und wir LANGSAM in die Kabinen ... den Rest hat man schon nicht mehr verstanden.

Ein Geschrei und Geschubse wie beim Winterschlussverkauf, wenn es Strumpfhosen für 99 Pfennige gibt! Ich hielt Gertrud am Ärmel fest, weil sie fast von der Masse mitgerissen worden wäre, und da war das Malheur auch schon passiert. Leider erwischte ich nämlich nicht den Ärmel, sondern das Fädchen von der Rettungsweste, mit dem sich das Ding aufpustet. Ich sage Ihnen, wir konnten gar nicht so schnell gucken, wie es zischte und Gertrud potz Blitz wie ein aufgeblasener Kosmonaut vor uns stand. Oder sagt man Astronaut? Kennen Sie den Unterschied? Es gibt gar keinen, das habe ich letzthin im Kinderfernsehen gelernt, als ich mit der kleinen Lisbeth geguckt habe. Astronaut sagten früher nur die Amis, die Russen sagten Kosmonaut. Nun, wo die Chinesen da auch hochfliegen, gibt es auch noch Taikonauten. Die spinnen doch. Ich warte ja drauf, dass mal der erste alte Mensch zum Mond geschossen wird, den nennen se dann wahrscheinlich Rentonaut. Hihi. Ich wüsste sogar schon, wen man hochschießen könnte, aber das darf ich hier nicht schreiben, das gibt sonst nur wieder Ärger.

Gertrud stand jedenfalls mit ihrer aufgepusteten Rettungsweste in der Menschenmasse, und wenn ein Windstoß gekommen wäre, hätte der sie wohl weggeweht. Die Arme standen ab, und der Hals war ganz eingeschnürt, nee, was habe ich mich erschrocken! Trotzdem musste ich auch lachen. Wir ließen erst mal die vielen Menschen in ihre Zimmer gehen und blieben ganz am Rand stehen. Das Fräulein Franziska kam herbeigeeilt, als sie Gertrud so stehen sah – und sie war ja nicht zu übersehen. Kennen Se diese Maskottchen, die beim Sport manchmal rumlaufen im Plüschkostüm? Es fehlten nur noch die Mickimaus-Ohren.

«Es wurde doch extra gesagt, dass Sie die Rettungsweste NICHT aufblasen sollen», schimpfte Franziska. «Es wäre nicht mal nötig gewesen, sie überhaupt anzuziehen, meine Damen!»

Gertrud wollte nur noch raus aus dem Geschirr und petzte: «Das war Renate, sie hat einfach an der Schnur gerupft!»

Man hätte sich ohne Probleme mit «Das muss im Gedränge passiert sein» oder «Das war dieses aufmüpfige, freche Kind» aus der Affäre ziehen können, aber Gertrud ist da nicht so supptil. Es war aber auch ganz egal, denn im nächsten Moment wurde sie von einer Welle der Übelkeit überrollt, und sie … also, sie machte noch zwei schnelle Schritte bis zur Reling, aber … sie schaffte es nicht. Es … sie … es war überall. Auf dem Außendeck, an der Reling, an Gertruds Weste, sogar auf dem Rock. Die Möwen, die über uns kreisten, krakeelten hysterisch und pickten die gröbsten Stücke weg. Gertrud musste sich erst mal setzen, sie war fix und fertig. Franziska schnitt ihr die vermaledeite Rettungsweste einfach auf. Ich suchte in meiner Handtasche nach feuchten Reinigungstüchern und dem Fläschchen mit Kölnisch Wasser – das habe ich ja immer einstecken – und putzte Gertrud damit die Mundwinkel sauber. Ich strich ihr die Haare aus dem Gesicht und redete beruhigend auf sie ein.

«Trudchen, meine Gute. Es wird alles gut. Wir gehen jetzt aufs Zimmer, und du legst die Füße hoch. Der Doktor kommt sofort. Der gibt dir was gegen den Schwindel, du wirst sehen, es geht dir im Nu besser.»

Es war ein Jammer, das mit anzusehen, und ich hatte ein bisschen Angst, was das wohl werden würde in den nächsten Wochen. Vielleicht sollten wir gar nicht fahren. Am Ende hatten sie alle recht, und es war doch ein Fehler, in unserem Alter auf so eine große Fahrt zu gehen? Aber die Beatrice beruhigte uns.

«Das ist oft so bei der ersten Kreuzfahrt. Machen Sie sich da keine Gedanken. Sie sollen mal sehen, morgen, wenn wir erst auf See sind, verschwindet das im Nu. Das ist wie in einer Schwangerschaft, da ist einem ja auch nur am Anfang schlecht.»

Sie kümmerte sich ganz rührend um uns, half uns runter in die Kabine und wollte auch dem Doktor Bescheid geben. Gertrud legte sich ins Bett. Die Füße lagerte ich ihr gleich hoch, damit sie nicht noch ein Blutgerinnsel dazu kriegte in den Venen. Ich holte ihr einen kalten Lappen für die Stirn, und weil kein Eimerchen da war, stellte ich ihr die Blumenvase in Reichweite, falls es ihr wieder hochkam. Sie gab jedoch Entwarnung und meinte, es ginge schon viel besser. Trotzdem machte ich das Fenster weit auf, wissen Se, frische Luft hat noch keinem geschadet. Der Möwenschwarm kam bis fast an das Fenster und kreischte, die Viecher verfolgten uns regelrecht. Offenbar hatten die Gertruds Witterung aufgenommen und hofften auf Nachschub. Aber da hatten die sich verrechnet, hier gab es nichts mehr zu holen! «Sch, sch!», scheuchte ich sie mit dem Regenschirm weg.

Gertrud musste gleich noch mal ins Bad. Ich überlegte nachzugehen, um ihr die Haare zu halten, aber da sie eine kurze Dauerwelle trägt wie ich, tat das nicht not. Ich spürte den Seegang nun auch ein bisschen, also, es war jetzt nicht so schlimm, dass die Tassen umgefallen wären, aber um Gertrud aus der Bahn zu werfen, langte es. Sie wusch sich notdürftig und legte sich, leicht grünlich im Gesicht, wieder auf das Bett in unserer Kabine. Ich gab meiner Freundin einen kräftigen Schluck von meinem Notfall-Korn, damit sie wieder zu Kräften kam. Für solche Fälle hatte ich den schließlich dabei, nicht wahr?

Nachdem ich Gertrud versorgt hatte, kämmte ich mir das Haar, legte noch zwei Pfft, pfft vom guten Tosca auf und strich mir den Blusenkragen glatt. Mit Fräulein «Kommen Sie ruhig jederzeit zu mir, wenn was ist» Franziska hielt ich mich nicht auf. Was würde die schon tun können? Hier musste der Schiffsarzt helfen, und der war schließlich vom Reisebüro garantiert. «Deutsche Reiseleitung und Arzt an Bord», so hat es in der Broschüre geheißen, und ohne diese Zusicherung hätte ich das auch niemals gebucht. Ich hatte auch schon das Praxis-Schild gesehen im Flur. Also schnappte ich mir Gertruds Schipkarte von der AOK und machte mich auf den Weg. Die hat man am besten gleich dabei, danach fragen die immer als Erstes. Ohne Schipkarte rühren die keinen Finger.

Der Doktor war ein junges Fräulein, das ich bestenfalls für eine Lernschwester gehalten hätte. Also, kein Professor Brinkmann, sondern eher eine Schwester Elke, wenn Se verstehen, was ich meine. Aber das sollte mir egal sein, wichtig war nur, dass sie Gertrud was für den Kreislauf gab und die wieder auf den Damm kam. Fräulein Doktor war sehr freundlich und machte sich auch gleich mit mir auf den Weg in unser Zimm… also, in die Kabine. Das Hostessenfräulein war natürlich noch nicht bei ihr gewesen. Da konnte man mal sehen! Wenn man sich nicht um alles selber kümmerte! Von wegen «Laden Sie all Ihre Sorgen bei mir ab»!

Gertrud hatte sich in Erwartung eines gutaussehenden Schiffsarztes wie vom «Loveboat» die Haare plusterig aufgebürstet und sich sogar Puder ins Gesicht geschmiert. Die Mischung aus dem bisschen Sonnenbrand, den wir uns schon eingefangen hatten, dem Grün ihrer Übelkeit und ihrer Schminke kann ich gar nicht in Worte fassen. Die Ärztin riss vor Schreck die Augen ganz weit auf und musste dann ein bisschen lachen. Gertrud knöpfte enttäuscht ihr Nachthemd wieder zu und ließ sich den Blutdruck messen. Wissen Se, das musste die jungsche Doktern schon machen, sie kann ja nicht Medikamente verordnen, nur weil ich sage, Gertrud hat seekrank, selbst wenn es offensichtlich war. Die käme ja in Teufels Küche, wäre es dann doch der Nordvirus!

«Durchfall ist keiner?», fragte sie besorgt, und Gertrud schilderte etwas ausführlicher, als nötig gewesen wäre, wann sie das letzte Mal … wie es aussah und wie die Konsistenz war. Ich gebe das hier nicht wieder, ich denke, Sie sind auch so im Bilde. Die Weißkittel-Dame leuchtete Gertrud noch die meisten Körperöffnungen mit einer Taschenlampe aus, ließ sie aufstehen und mit geschlossenen Augen auf einem Strich entlanglaufen. Na ja, so viel Korn hatte ich ihr nu auch nicht verabreicht, und Auto fahren musste sie ja auch nicht mehr. Gertrud musste sogar die Zeigefingerspitzen zusammenführen und all so ein Quatsch, nur damit das Fräulein bei der Krankenkasse ordentlich was abrechnen konnte. Mir macht doch keiner was vor! Nach bald einer Viertelstunde sagte sie: «Frau Potter, da ist nichts, was Anlass zur Besorgnis gibt, Sie sind nur ein bisschen seekrank. Ich lasse Ihnen mal was da.»

So ein kluges Kind, für die Diagnose hatte die nun so lange gebraucht? Ich bitte Sie, der Werner Kalblauser hatte im Herbst einen Herzinfarkt, und nicht mal den hat der Arzt so lange Übungen machen lassen! Aber die war hier auf dem Dampfer wahrscheinlich froh, dass sie endlich mal was zu tun hatte, und freute sich über jeden Mückenstich, auf den sie ein bisschen Kühlsalbe draufschmieren konnte.

Gertrud in ihrer Wehleidigkeit gefiel das Getue jedoch, sie genoss es sehr, so «krank» zu sein. Sie musste versprechen, sich vor jedem Essen, nach jedem Toilettengang und auch zwischendurch immer mal wieder die Hände mit Dessi-Zeug einzureiben. Die Spender dafür standen überall auf dem Schiff. Wohin man schaute, standen Behälter mit dem stinkenden Zeug, und man wurde von der Besatzung animiert, sich einzureiben. Es hatte gar keinen Sinn, Parfüm aufzulegen, es rochen ja doch alle wie die OP-Schwestern. Beim Abendessen duftete es im Restaurant wie in der Kantine vom Krankenhaus, sage ich Ihnen.

Wenn man über den Flur ging und einen der freundlichen Mitarbeiter traf, rieb der sich immer die Hände. Damit wollten sie uns auffordern, uns zu dessifizieren. Anfangs dachte ich, die hätten einen Streich ausgeheckt, wenn die im Vorbeigehen grinsten und sich die Hände rieben.

Die hatten offenbar eine panische Angst davor, dass der ganze Dampfer Durchfall oder Nordvirus oder noch was Schlimmeres bekommt. Dann hätte die jungsche Doktern aber mal Gas geben müssen und sich nicht mit jeder Reisekrankheit eine halbe Stunde aufhalten können! Ich wusch und rieb fleißig mit, wann auch immer ich einen Dessi-Spender sah, wissen Se, den Urlaub auf der Toilette verbringen war das Letzte, was ich wollte.

Gertrud schimpfte ich ordentlich aus, als das Fräulein Doktor endlich weg war.

«Du schiebst dir jetzt das Zäpfchen rein, und dann geht es dir gleich besser. Wir sind schließlich nicht so weit gefahren zu den Palmen, um jetzt hier die Tage auf dem Zimmer vor dem Fernseher zu verbringen. Ich lasse dich jetzt zwei Stunden allein, da kannst du … Gertrud, du weißt doch, wie ein Zäpfchen …? Nicht schlucken!»

Ich nahm ihr das Ding aus der Hand. Bei Gertrud kann man sich wirklich nie sicher sein, wissen Se, die hat neulich auch versucht, mit Kokosflocken ihre Soße anzudicken. WEIL SIE EINFACH NICHT RICHTIG GUCKT!

«Ich gehe derweil mal schauen, ob ich nicht Sascha Hehn irgendwo finde. Wenn ich wiederkomme, haben deine … Mittel bestimmt schon geholfen. Bis später, mein Trudchen. Gute Besserung!»

Ein Tag Altenheim kostet 180 €, ein Tag Kreuzfahrt nur 120 €. Ich habe das mal Kirsten weitergeschickt.

Gertrud erholte sich sehr rasch, die Medikamente wirkten prima. Sie hatte es anscheinend geschafft mit den Zäpfchen. Trotzdem war in unserem Alter selbst mit einer leichten Unpässlichkeit nicht zu spaßen, und wir entschieden, dass Gertrud noch einen Tag im Bett blieb und erst mal wieder richtig zu Kräften kam. Die Reise ging drei Wochen, da wollten wir kein Risiko eingehen. Besser ist besser. Mittlerweile waren wir mit dem Pott schon gut vorangekommen und waren auf hoher See unterwegs von Italien weg rüber nach Kroatien. Wir hatten Wilderbuchwetter, herrlich! Nee. Bilderwuchbetter. Nee, auch nicht. Also, die Sonne schien, und es war herrlich warm.

Da Gertrud unpässlich in der Kabine lag und der Landgang für mich allein nicht in Frage kam, schaute ich mich ein bisschen auf dem Dampfer um. Wissen Se, ohne Gertrud wollte ich nicht mit zu den Ausflügen. Sie hätte wohl auch komisch geguckt, wenn ich sie so schwer leidend mit ihrem Brecheimer allein zurückgelassen hätte. Andererseits hatte es auch keinen Sinn, an ihrem Krankenlager zu wachen und ihr die Hand zu halten. Schließlich war nicht mit ihrem Ableben zu rechnen, obwohl Gertrud in ihrer Wehleidigkeit verlangte, dass ich über Händi die Kinder verständigte. Das kam gar nicht in Frage! Da waren sich

Gertruds Gisela und meine Kirsten einig, sie waren entschieden gegen diese Reise gewesen und hätten nun Wasser auf ihren Mühlen gehabt und uns womöglich noch mit dem gelben Hubschrauber oder mit Reiseruf vom Roten Kreuz abholen lassen! Nee, nee. Ich murmelte was von «Kein Empfang» und «Der Onlein ist schlecht».

Da fast alle anderen Passagiere auf dem Ausflug waren, war es angenehm leer auf dem Schiff. Keine Hektik, kein Gedrängel, keine weinenden Kinder.

Auf der zweiten Etage – Deck sagten die hier – hatten die sogar einen Friseursalon, denken Se sich bloß. Es gab auf dem Schiff alles, was man auch zu Hause hat. Nur mit den Getränken knauserten sie wie gesagt. Essen und Trinken gab es rund um die Uhr, so viel man wollte – nur Korn hatten se nicht. Allen möglichen anderen Schnaps, aber keinen Korn. Na, das sollte mich nicht stören, ich hatte im Koffer, was ich für die Zeit auf See brauchen würde. Trotzdem würde ich einen Brief schreiben und mich nicht direkt beschweren, aber wohl doch diskret einen Hinweis geben. Das müssen die doch wissen, dass der Korn fehlt! Unter oll inklusiff versteht eine Renate Bergmann was anderes.

Aber sonst war alles da, man konnte nicht meckern. Man war umsorgt, verpflegt und hatte ein Dach und die südliche Sonne über dem Kopf. Wenn man sich das mal pro Tag ausrechnete, was die Reise kostete, kam es sogar billiger als ein Heimplatz.

Den Friseursalon wollte ich mir mal näher betrachten. Sehr ansprechend sah das Lädchen aus. Geschmackvoll, hell und einladend. Die Friseurin kam freundlich auf mich zu, als ich noch am Eingang stand, und begrüßte mich mit einem herzlichen Lächeln. «Sie sind doch noch schick, da muss man nicht viel machen, aber kommen Sie ruhig rein, wir waschen und föhnen, und dann fühlen Sie sich wieder wie neu! Guten Tach! Kathrin Schneider.» Sie streckte mir ihre Hand entgegen. Eine sehr aparte Person, vielleicht knapp 50, schätzte ich. So etwa wie meine Kirsten. Aber mit einem anständigen Beruf. Dunkles kurzes Haar trug sie, es war frech und poppig geschnitten.

Frau Schneider ließ mich auf einem Frisierstuhl Platz nehmen und legte mir den Umhang um. Sie fing gleich das Plaudern an, aber nicht aufdringlich, sondern sehr nett. Eine wirklich angenehme Person, das hat man selten bei den jungen Dingern. Die sind doch heute alle hektisch und haben meist gar keinen Sinn für ein nettes Wort nebenher! Frau Schneider war mir vom ersten Moment an sehr sympathisch. Sie schwätzte nicht wie ein altes Waschweib und behandelte mich auch nicht wie eine olle Frau. Wenn die Leute überhaupt mit einem älteren Menschen reden, dann doch meist wie eine Krankenschwester. Sie brüllen einen an, weil sie Schwerhörigkeit vermuten oder denken, dass man schon ein bisschen dulli ist, und sagen Dinge wie «Sooo, nun wollen wir uns mal hinsetzen».

Nicht so Frau Schneider. Sie war so geschickt, ich vergaß völlig, dass ich eigentlich gar nicht zum Haareschneiden wollte. Aber wo ich nun schon mal auf dem Stuhl saß ... wissen Se, bei der Hitze schwitzt man so leicht, und die Frisur hatte ein bisschen gelitten und war vom

Liegen auch etwas zerdrückt. Der Hinterkopf war ganz platt. Selbstverständlich hatte ich auch meine Wickler im Reisegepäck, denn für das große Kapitänsdinner wollte ich natürlich schick aussehen und nicht mit dem Rücken zur Wand sitzen!

Frau Schneider wusch mir mit festem, aber nicht rabiatem Griff die Haare. Ach, es war ganz anders als bei Ursula, meiner Friseuse in Berlin. Wenn die mich wäscht, läuft mir immer Schaum in Augen und Ohren. Ich bin schon lange nicht mehr zufrieden mit ihr, aber man wechselt nicht so einfach, schließlich ist das ein Vertrauensverhältnis, was man mit seiner Friseuse hat. Ich gehe seit über 40 Jahren zu Ursula, da bleibt man nicht einfach weg, zumal Ursula seit nun bald fünf Jahren erzählt, dass sie gegen Ende des Jahres in Rente geht. Ich denke dann immer: «Renate, du suchst dir einen neuen Salon, wenn sie im Ruhestand ist. Dann gibt es keinen Ärger.» Im Dezember verkündet Ursula jedoch jedes Jahr unter Tränen, dass sie noch ein allerletztes Jahr dranhängt, weil sie die Rente hat durchrechnen lassen und dass die nicht langt. Und weil sie es ihren Kunden nicht antun kann.

Ein bisschen ärgerlich ist es schon, denn sie ist nicht sehr verlässlich in den letzten Jahren. Mal vergisst sie die Termine, mal ruft sie an und sagt ab, weil sie wieder dicke Füße hat und die für ein paar Stunden hochlegen muss, und mal verwechselt sie die Flaschen mit ihren Mittelchen. Eine Blauspülung hat sie mir gemacht, denken Se sich das bloß! Wie die Honeckern, das olle Kommunistenliebchen, habe ich ausgesehen und musste mit einem

Kopftuch nach Hause fahren im Bus. Der türkische Gemüsemann rief mir nach, ich wäre seiner Mama wie aus dem Gesicht geschnitten, und lud mich zum Tee ein, wenn sie ihn das nächste Mal besucht. Ursula kauft auch keine neuen Zeitungen mehr seit ewiger Zeit. Immer die ollen Dinger, in denen Beatrix noch Königin ist und nicht die Maxima. Die Seiten mit den Kreuzworträtseln sind schon ganz dünn vom vielem Ausradieren. Nee, nee, ich bin seit Jahren nicht mehr zufrieden mit Ursula, das muss man ganz klar sagen.

Was für eine Wohltat war es da, von Frau Schneider frisiert zu werden. Sie plauderte, während sie mir mit einem ganz leisen Föhn und ihrer Rundbürste den Kopf verschönerte. Der Föhn von Ursula ist ja noch aus dem VEB und röhrt wie ein Trabant.

Frau Schneider kam aus Bockenbrühl, das ist eine kleine Stadt, ungefähr eine Stunde von Berlin entfernt, erzählte sie. Sie lebte gerade in Scheidung. Wie das so ist: Wenn Frauen in die Wechseljahre kommen, machen se einen Tanzkurs, und Männer legen sich einen Sportwagen zu oder eine neue Freundin. Oder beides. So im Fall Schneider.

«So ein blondes Püppchen, halb so alt wie ich, aber dafür doppelt so große Brüste und ein knackiger Hintern», erklärte sie mir nicht ohne Bitterkeit in der Stimme. Dabei drehte sie die Rundbürste ein kleines bisschen zu fest ein und zog mich quasi hoch im Frisierstuhl. Da steckte wohl noch ein bisschen Wut in ihren Knochen. Die Schneider'sche hat aber nicht lange gejammert, sondern sich gefragt, was sie noch machen will aus ihrem Leben. Das gefiel mir sehr.

«Frau Bergmann», fragte sie und guckte mich im Spiegel an, «was hilft denn jammern? Soll ich mich nun in die Ecke setzen, heulen und mich beklagen, wie schlecht die Welt ist? Wenn ich mir nicht selbst helfe, hilft mir niemand. Nein, ich nehme die Dinge allein in die Hand!»

Die nächsten Strähnen teilte sie wieder vernünftig ab und föhnte sie sachte und mit Gefühl. Sie hatte Friseurin gelernt vor 30 Jahren, aber seitdem nie mehr gearbeitet. Wegen der Kinder, außerdem verdiente der Gatte üppig, und sie hatte ja auch das Haus und ihre Seidenmalerei. Sie kam auch über Salzteigbastelei ins Schwärmen und zeigte mir ihre Kette, die sie selbst geknetet hatte.

«Sehr apart», sagte ich diplomatisch, aber ich schwärmte nur gebremst, denn ich hatte ein bisschen Angst, sie könnte mir so was schenken. Sagen wir mal so: Es war hübsch, aber nicht mein Stil.

Nun war aber genug gebastelt und sinnlos die Zeit vertrieben, denn Frau Schneider wollte aus der Not eine Tugend machen und die Gelegenheit packen. Also, am Schopf. «Ganz neu durchstarten» wollte sie. Sie wollte erst mal raus zu Hause und alles hinter sich lassen und vergessen, deshalb hatte sie sich als Bordfriseurin auf dem Pott beworben. Dass das geklappt hatte, machte sie sehr stolz und gab ihr so viel Selbstbewusstsein, dass sie überlegte, ob sie es wohl wagen sollte, sich selbständig zu machen. Einen eigenen Salon wollte sie eröffnen bei sich in Bockenbrühl, sie war gerade dabei, Räumlichkeiten zu suchen und eine Freundin zu überzeugen, bei ihr mit einzusteigen.

«Aber genug von mir, Frau Bergmann ... ich schütte Sie hier zu mit meiner ganzen Lebensgeschichte. Erzählen Sie mal von sich! Sind Sie mit Ihrem Mann hier auf dem Schiff? Woher kommen Sie denn? Haben Sie Kinder?»

Ich seufzte. «Vierfach verwitwet, aus Berlin, eine Tochter. Kirsten. Sie ist so ungefähr in Ihrem Alter.»

«Ach, wie nett. Was arbeitet Ihre Tochter denn?»

«Sie ... sie ist im Gesundheits... also, ja. Sie ist im Gesundheitswesen tätig.»

Es ist mir immer so unangenehm, fremden Leuten zu erklären, was Kirsten macht. Atemübungen mit Hamstern und Bäume umarmen mit komischen Frauen, ich bitte Sie. Über so was spreche ich eben nicht gern und versuchte deshalb, das Gespräch wieder auf die Schneider'sche zu lenken.

«Kirsten ...», sagte die jedoch grübelnd. «Kirsten ... ich bin mit einer Kirsten zur Schule gegangen. Gar nicht so häufig der Name. Das ist doch kein Zufall? Jetzt sagen Sie nicht, Sie haben damals in Karlshorst gewohnt?»

Nun war ich platt. Ich setzte die Brille auf – beim Frisieren stören die Bügel hinter den Ohren, wissen Se, deshalb lege ich die dabei immer ab – und guckte mir die Kathrin ganz genau an. Um die Augen vielleicht, ja. Aber mit zehn Jahren sehen die Mädelchens doch alle gleich aus. Zöpfe und Zahnspange. Ich konnte mich beim besten Willen nicht auf sie entsinnen.

«Was sind Sie denn für eine geborene?», erkundigte ich

mich. Ich ging im Kopf die Mitschüler von Kirsten durch, und dass ich sie nicht mehr alle zusammenbekam, jagte mir erst einen kleinen Schrecken ein, aber dann dachte ich: «Das ist 40 Jahre her, und es ist auch nicht wichtig. Darüber machste dir jetzt keine Sorgen, Renate!»

«Mein Mädchenname ist Kuske, Frau Bergmann. Kathrin Kuske. Und Sie hießen damals von Morskötter, oder?»

«Kathrin, mein Mädchen! Das gibt es doch nicht! Siehste, ich sage doch immer: ‹Die Welt ist ein Dorf.› Jetzt wohnst du eine Stunde von mir entfernt, und wo treffen wir uns wieder? Auf einem Reisedampfer im Mittelmeer. Also so was! Davon muss ich Kirsten erzählen.»

«Wie geht es ihr denn? Hat sie Krankenschwester gelernt, so wie sie es wollte?» Die Kathrin war vor Freude ganz aufgeregt.

«Ja, das hat sie. Aber … es … weißte, Kathrin, es ist so … die Kirsten, die war ja schon immer mehr für das Musische und für Tiere. Die Schulmedizin liegt ihr nicht so, und deshalb …»

«Ich verstehe», unterbrach mich Kathrin. «Macht sie Bauchtanz gegen Gürtelrose?»

«Mit Katzen.»

Wir guckten uns beide ein paar Sekunden an, und dann mussten wir laut, lange und herzlich lachen. Ach, das Mädchen war eine so nette und patente Person. Sie verstand mich ohne viele Worte. Wir plauschten wohl noch bald eine Stunde, es war ja nichts los im Salon. Kathrin hatte alle möglichen Packungen und Spülungen mit mir gemacht und mir auch die Kopfhaut massiert, ach, es war eine Wohltat. Nicht nur für das Haar, auch für meine Seele, weil ich mich so schön unterhalten konnte.

«Frau Bergmann, Sie haben sehr schönes, kräftiges Haar. Das macht richtig Spaß, Sie zu frisieren. Die meisten älteren Damen haben so fusselige Fransen, da kriegt man gar keinen Stand rein.»

Ach, das Mädchen wusste mir wirklich zu schmeicheln.

«Sie haben schon vor längerer Zeit aufgehört zu färben, richtig?» – «Ja, weißte, das wuchs immer schneller raus, und dann hatte ich diesen weißen Streifen am Ansatz. Das sieht doch nicht aus. Die Zeit hab ich nicht, mich alle zwei Wochen zum Färben auf den Stuhl zu setzen. Und wie ein Streifenhörnchen will man auch nicht rumlaufen. Ach, was soll das auch, ich bin nun mal alt und weißhaarig, was soll ich es mit Chemie versuchen zu verstecken? Ich ärgere mich immer über die zugekleisterten jungen Dinger, die messerdick Schminke im Gesicht haben. Sollen se sich die Lippen rot machen, jawoll, aber weißte – wenn ich mit jemandem rede, dann will ich auch das Gesicht sehen.»

Kathrin nickte zustimmend. «Haben Sie eigentlich noch Kontakt zu Frau Gläser? Die hat damals Deutsch und Englisch unterrichtet bei uns in der Klasse. Sehr streng war sie, nicht nur zu uns Schülern, auch zu ihrem Mann. Wenn ich mich recht erinnere, konnte der so schlecht sehen und durfte kein Autofahren», fragte Kathrin weiter.

Ich verschluckte mich ein bisschen an dem Kaffee, von dem ich gerade nippte. «Kurt! Ja. Du, das mit seinen

Augen, das hat sich gegeben. Er fährt ... ja. Doch. Das ist alles in Ordnung. Und die Ilse, also die Frau Gläser, das ist meine beste Freundin, denk dir nur! Die Gläsers sind beide noch rüstig und gesund. Ach Kathrin, wir müssen dich besuchen, wenn du deinen Salon eröffnest in Pockenheim.»

«Bockenbrühl!»

«Genau! Das schreibst du mir zur Sicherheit noch auf, und auch die Nummer für den Händi und wie du beim Fäßbock heißt. Dann können wir uns befreunden. Wir kommen zur Eröffnung, die Gläsers und ich. Kurt fährt noch Auto wie ein junger Gott, der freut sich, wenn wir mal eine schöne Landpartie nach Brandenburg machen.»

Die Kathrin staunte nicht schlecht, als ich mein Scheibchentelefon zückte. Sie musste erst mal in ihrem Telefon nachgucken, wie ihre eigene Nummer war, denken Se sich das mal! Leute gibt's ...

«Aber jetzt musst du mir gleich einen Termin machen für den vorletzten Abend, für das Kapitänsdinner. Da will ich schließlich manierlich aussehen auf dem Kopf. Und für meine Freundin Gertrud bitte auch. Zu der muss ich jetzt mal wieder zurück, die hat nämlich Seekrankheit und versucht gerade, ihr Zäpfchen drinzubehalten.»

Kathrin schwieg diskret zu Gertrud, wünschte unbekannterweise gute Besserung und schrieb uns in ihren Kalender. Wir verabredeten uns auch für den Landausflug in Kreta. An dem Tag hatte sie ihren freien Nachmittag und wollte uns die Insel zeigen.

Ich konnte es kaum erwarten, mit den Neuigkeiten und

meiner schicken Tolle zu Gertrud in unsere Kombüse zurückzukehren.

Ganz genau hatte ich es mir gemerkt, auf dem blauen Flur, an den Fahrstühlen nach links und nach dem großen Oberlicht mit den schönen Palmen gleich rechts. 2442 war unsere Stubennummer. Nanu, dachte ich, warum stehen denn da so viele Leute? Auf dem Gang vor unserer Kabine tummelte sich eine Menschentraube. Mir wurde ganz mulmig, sollte Gertrud einen Rückfall gehabt haben? Bestimmt hatte die olle Hypochonderin ein Theater veranstaltet und noch mal die Bordärztin gerufen. Himmel herrje, ich machte mir schlimme Vorwürfe. Ich hätte mein Trudchen nicht alleine lassen dürfen.

«Lassen Se mich durch!», rief ich, und ein Kellner, der lustig sein wollte, fragte: «Wieso, sind Sie etwa Arzt?»

Ich guckte auf sein Namensschild und murmelte: «Soso. Gleich mal notieren. Nein, ich bin kein Arzt, aber ich wohne in diesem Zimmer! Was ist mit meiner Freundin?»

Der Kellner nahm die Hände ganz schnell an die Hosennaht, sage ich Ihnen. Der hatte mächtigen Bammel davor, dass ich ihn melde. Dass ich den Namen ohne Lesebrille gar nicht erkennen konnte, wusste der ja nicht. So ein unverschämter, frecher Lümmel.

«Gertrud, geht es dir gut? Was zum Himmel ist denn hier passiert?» Ich musste mich erst mal setzen. Beatrice-Franziska scheuchte alle aus unserem Zimmer, die da nichts zu suchen hatten, und Gertrud erzählte mir kurz und knapp, wie das so ihre Art ist, was passiert war. Sie hatte sich so gut gefühlt nach ihrer Zäpfchenkur, dass sie aufgestanden und ins Bad gegangen war, als sie auf einmal Einbrecher an der Tür hörte. Das Herz ist ihr fast in die Hose gerutscht, aber sie ist wie ich eine Frau, die sich zu helfen weiß. Wenn sie mit Norbert Gassi geht, hat sie immer eine Flasche Pfefferspray in ihrer Handtasche! Man sollte denken, dass ein so großer und kräftiger Hund sein Frauchen verteidigen würde, aber das täuscht. Norbert will nur spielen und apportiert sofort Stöckchen. Wenn ein Fremder ihn anspricht, springt er im Kreis, versucht sich selbst in den Schwanz zu beißen und pullert sich nass vor Freude. Deshalb hat Gertrud das Pfefferspray immer griffbereit in dem kleinen Geheimversteck in ihrer Handtasche.

Wie sie also da so hörte, dass sich jemand an der Tür zu schaffen machte, da wurde Gertrud sich jedenfalls sofort gewahr, was sie zu tun hatte. Sie griff nach ihrem Verteidigungsspray, und in dem Moment, wo die Klinke runterging und der Gängster die Tür auch nur einen klitzekleinen Spalt geöffnet hatte, sprühte sie los.

Ja. So weit war das alles mutig und ganz richtig, wahrscheinlich hätte Gertrud sogar die Ehrenmedaille für couragiertes Einschreiten vom Eislaufrudi in «Aktenstapel XY» bekommen, wenn sie nicht das Zimmermädchen zur Strecke gebracht hätte.

«Sie wird wohl drei Tage nicht gucken können», klärte mich der Schnösel auf und deutete auf das nette asiatische Mädchen mit der hübschen weißen Schürze. Die Bordärztin und auch Fräulein Bea… Dingens, Franziska, beugten sich über sie und pressten ihr kalte Waschlappen in die Augen.

Ich sage Ihnen, nee. Da ist man mal ein paar Minuten weg, und dann passiert gleich was! Man konnte Gertrud wirklich nicht alleine lassen. Auf den Schreck brauchte ich erst mal einen Korn. Nee, wissen Se, da konnte nun wirklich keiner was sagen – wenn so was passiert, muss man einen trinken! Ich griff zu meiner Handtasche und kramte nach dem Flachmann. Sie hätten mal den Blick der Meute sehen sollen! Die hatten offenbar alle Angst, ich würde auch mein Tränengas rausholen, hihi!

Das Fräulein Doktor Bordärztin sagte, man würde das Ganze als Unfall betrachten und es käme nichts nach. Trotzdem ermahnte sie Gertrud, das Teufelszeug nicht wild umherzusprühen. «Ich hoffe, dass ich nun das letzte Mal in Ihrer Kabine zu Besuch war und dass Sie den Rest der Reise ohne weitere Vorkommnisse genießen, meine Damen.» Das klang schon ein bisschen vorwurfsvoll. Allerdings war sie innerhalb von kurzer Zeit nun schon zum zweiten Mal hier, das hatten sie bestimmt auch nicht oft. Ich hoffte inständig, dass die spitzelnde Hostessen-Franzi nicht Meldung an Kirsten machte. Wenn die davon erfahren würde, na, das gäbe was!

Ich packte den Flachmann zurück und vergewisserte mich, dass das Glasscheibchentelefon auch wirklich ausgeschaltet und offlein war. Wissen Se, wir waren schließlich im Urlaub. Da muss man auch mal den Stecker ziehen! Für ein paar Wochen geht es auch ohne Fäßbock, merken Se sich das. Es langt vollkommen, wenn man hinterher ein paar Fotos hochzeigt, es muss nicht gleich jede Mahlzeit sein. Der Onlein ist nämlich unverschämt teuer auf dem Dampfer. Sicher, die hatten welchen im Angebot, aber sowohl Stefan, Kirsten als auch die Frau vom Reisebüro hatten mich gewarnt. Die hatten offenbar alle eine panische Angst, ich würde meine letzten Schillinge im Interweb auf hoher See vergeuden.

Das war im Grunde ja sehr nett, wie sie sich sorgten. Es kam mir auch entgegen, so musste ich nicht groß begründen, warum ich nicht drang, wenn Kirsten zur Kontrolle anläutete. Stefan verriet mir noch ein Geheimnis. Er sagte, in Spanien, Italien und Griechenland dürfte ich es beim Landgang ruhig einschalten. Die Telepost nimmt nämlich jetzt keine Extragebühren mehr für Ausland, wenn das EG ist. Es ist alles sehr kompliziert und steht nur im Kleingedruckten, sagte er, aber so wäre mein Tarif. Ich sagte: «Erzähl das bloß nicht Kirsten, Stefan!», und kicherte vergnügt in mich rein.

Gertruds Anschlagsopfer musste die Augen mit reichlich klarem Wasser spülen, gut kühlen und ein paar Tage eine Sonnenbrille tragen. Sie wurde krankgeschrieben und durfte vorerst in ihrem Stübchen bleiben. Gertrud entschuldigte sich, und ich hatte auch ein schlechtes Gewissen. Ich schenkte dem Mädel ein Paar Topflappen. Sie wissen ja, die habe ich immer dabei, falls man sich mal erkenntlich zeigen muss, und das schien mir angemessen. Über Topflappen freut sich ja jeder!

✻

Am nächsten Tag war Gertrud so weit mit ihren See-mannspillen eingestellt, dass es ihr blendend ging und ihr das Gewackel und Geschwanke nichts mehr anhaben konnte. Sie hatte schon wieder ganz rosige Wangen und Leben in den Augen. Am Abend vorher sah sie noch aus wie um die Katz gewickelt, aber die Medikamente und der Schlaf hatten ihr gutgetan. Ich sah das gleich auf den ersten Blick, nachdem ich die Augen aufschlug. Wir setzten beide erst mal die Zähne ein, die jeweils in unseren Schälchen auf den Nachtschränkchen standen, und beratschlagten, wer als Erste ins Bad ging. Man kann ja nicht immer so lange warten, wenn Se verstehen, was ich meine.

Nach der Morgentoilette machten wir uns zügig auf den Weg in den Frühstückssaal. Man kann sich ja noch so viel Mühe geben, sich den Weg zu merken ... aber es hat auch alles sein Gutes, so lernten wir alle Flure mal kennen. Und die waren zum Glück auch nicht so etepetete mit den Frühstückszeiten, die wissen ja, wie groß der Pott ist und dass sie viele ältere Damen an Bord haben.

Denken Se sich nur, jede Etage hatte andersfarbigen Teppich! Richtig schicke Auslegeware mit eingewebten Krönchen und Lilien. Unser Stockwerk war blau, über uns war es grün und unter uns rot. Das entdeckten wir alles schon vor dem ersten Kaffee und nicht ganz freiwillig, aber immerhin. Sehr hübsch eingerichtet war alles.

Die ersten beiden Tage hatte Gertrud ja nur Zwieback vertragen. Den brachten ihr die Kellner in die Kabine, zusammen mit einer Kanne Kamillentee und für mich einen Teller mit Schnitten und Obst. Sehr hübsch angerichtet! Nun aber war es an der Zeit, im Restaurant mit den anderen zu essen. Tatsächlich war der Saal, in dem wir frühstücken sollten, gar nicht weit von unserer Kabine, wir hätte nur rechts gehen müssen. Aber Gertrud wollte ja nicht hören … Ich ließ es auf sich beruhen, ihr war noch blümerant im Magen, und ich wollte nicht so streng sein. Wenn sie gnaddelig würde, hätte das schließlich niemandem geholfen. Immerhin lernten wir so, wo Backbord ist. Da wurde übrigens gar nicht gebacken, es war jedenfalls weit und breit nichts von einem Ofen zu sehen. So was würde ich doch auch riechen, ich weiß, wie frisches Brot duftet!

Wie dem auch sei, wir fanden den Speisesaal, und ich sage Ihnen das ganz ehrlich: Uns blieb der Mund vor Staunen offen stehen. So eine Pracht! Nach oben hin tat sich ein Himmel auf, von dem riesengroße prächtige Kronleuchter hingen. Wohl ein Dutzend Stück, und jeder Kronleuchter hatte bestimmt an die hundert Leuchten. Umlaufend gab es eine zweite Etage mit kleinen Tischen, auf denen man quasi neben den Lüstern sitzen konnte. Es gab sogar einen Treppenlift, wo einige ältere Herrschaften anstanden und nacheinander ganz langsam hochfuhren. Das wollten Gertrud und ich aber nicht – da ist der Kaffee ja kalt, bis man oben ist. Wir wollten unten an einem der großen runden Tische sitzen. Möglichst nah am Kapitänstisch natürlich, aber das wollten ja alle.

Wir mussten unser Bändchen zeigen, wir waren rot. Rote Bändchen, blauer Flur. Ständig musste man sich was merken! Eine Kellnerin, die prima Deutsch konnte, erklärte uns, dass wir damit in der ersten Gruppe waren. Die erste Gruppe frühstückte ab halb acht, musste aber um neun raus sein. Das war mir sehr recht, spät frühstücken war nicht meine Sache. Das ist ja schon fast Bransch!

Bransch kennen Se, nich wahr? Das ist, wenn man spät frühstückt und Rührei mit der Gabel dazu isst. Manchmal gibt es sogar ein Gläschen Sekt. Apropos: Letzthin hat Inge Blaustein zu ihrem 80. eingeladen. Sie hatte zur Tochter gesagt, sie müsse sich um nichts kümmern, sie hätte alles bestellt in der Gaststätte, es gäbe Bransch. Die Ilona war sehr stolz auf die Mutti, dass sie so modern ist, und um 10 Uhr trafen wir uns alle zum besagten Bransch im Gasthaus. Es gab belegte Brötchen mit Hackepeter und allem Pipapo, sehr reichlich, die Kellner legten ständig nach, man konnte nicht meckern. Aber irgendwie dachte ich doch, dass was Warmes dazu fehlte.

Als Inge dann um zwölf in die Hände klatschte und «So! Nun aber zu Tisch!» rief und wir drei Gänge mit Hochzeitssuppe, gemischtem Braten vom Rind und Schwein mit Kroketten und Mischgemüse sowie Schokoladenpudding als Nachtisch serviert bekamen, begann auch die Ilona zu grübeln. Inge Blaustein hatte wohl nicht ganz verstanden, was Bransch ist. Um drei gab es noch eine Kaffeetafel mit Buttercremetorte, Frankfurter Kranz und Streuselkuchen. Inge dachte, Bransch wäre einfach, wenn man alle Mahlzeiten innerhalb von vier Stunden verputzt. Auch wenn wir uns alle nicht rühren konnten und trotz Verdauungskorn die oberen Rockknöpfe offen lassen mussten, war es ein schöner Geburtstag.

«Renate», sagte Gertrud, als sie den prachtvollen Speisesaal erblickte, «das ist ja noch schöner als im Fernsehen! Wie ein Traum. Guck doch nur, die schönen Blumengestecke auf den Tischen …» Sie war genauso begeistert wie ich, und aus den Augenwinkeln sah ich, wie ihr Blick über das schöne Besteck wanderte, mit dem der ganze Saal eingedeckt war. Wunderschöne weiße Tafeltücher lagen auf den runden Tischen, an denen jeweils acht Personen Platz hatten.

Mir wurde ganz anders, und ich bekam Angst, wissen Se, ich kenne diesen Inspektionsblick von Gertrud. Auswärts wird sie zur Elster und stibitzt Geschirr und Besteck. Ihr ganzes Leben hat sie nie ein Stück Geschirr gekauft, sie hat alles gemopst. Bei ihr an der Tafel sitzt man immer vor zusammengestoppelten Messern und Tassen von all ihren Reisen. Sie hat Messer aus der Kantine vom Stahlwerk in Hennigsdorf, Tassen von der Mitropa und aus dem Restaurant im Fernsehturm und Teller von ihrer Kur in Bad Elster. Auf den meisten Stücken ist auch eingraviert, woher es stammt. Bei diesen Dingen gibt es oft noch einen kleinen Schmunzler bei Tisch, aber wenn einer der Gäste ein Erbstück wiedererkennt, das Gertrud dort in privater Runde hat mitgehen lassen, gab es schon manches Mal Theater.

«Untersteh dich, Trudchen. Denk nicht mal dran!», zischte ich ihr zu und guckte sie streng an. Wenn Gertrud sich ertappt fühlt, wird sie immer krötig. Ganz schmallippig zischte sie zurück: «Dann lass du aber auch deine Tupperbüchsen weg vom Büfett!» Da mussten wir beide lachen. Wir kennen uns eben sehr gut nach so vielen Jahren. Ach, was sage ich: Jahrzehnten!

Wir hatten wie gesagt rote Bändchen, die andere Gruppe grüne. Herbert Bömmelmann, unsere Flugzeugbekanntschaft, hatte eine Rotgrünschwäche und immer Appetit, da können Se sich ja vorstellen, dass das auch ein bisschen Ärger gab. Er ging nämlich essen, wann immer er wollte. Ganz selbstsicher zeigte er sein grünes Armbändchen vor und marschierte unbeeindruckt schnurstracks an den Kellnern vorbei zu unserem Tisch, seine Gittl mit schamrotem Kopf hinter ihm her. Unser Tisch war eigentlich komplett besetzt, aber das störte die Bömmelmanns nicht. Mit dem Argument «Wir kommen extra aus Dresden» drängelten die beiden sich an jeder Schlange vorbei und beanspruchten Sonderrechte, wo auch immer sie hätten warten müssen.

Das war nicht böse gemeint, in ihrer Welt war das ganz sicher in Ordnung. Die Bömmelmanns hatten sich auch fein gemacht zum Essen, jedenfalls für ihre Begriffe. Das bedeutete, dass Herbert sein weißes Turnhemd gegen ein in die Jahre gekommenes und zu kurzes Polohemd getauscht hatte und statt seiner Badelatschen nun offene Sandaletten trug. Gittl hatte nicht so viel Aufhebens gemacht wie Herbert und einfach nur ein Tuch über den Badeanzug gewickelt, das nun wie ein Hippie-Rock flatterte. Sie schlappte mit solchen komischen Flipp-Flipps durch das elegante Restaurant – wissen Se, nee! Das geht doch nicht. Man muss nicht jeden Abend die große Toilette anlegen, aber ein BISSCHEN kann man auf sich achten!

Bei Gertrud und mir gab es auch noch Luft nach oben für das Kapitänsdinner, aber trotzdem legten wir Wert darauf, dass man halbwegs manierlich gekleidet zu Tisch geht. Wissen Se, mit einem geblümten Sommerkleid ist man doch immer schick angezogen. Große, fröhliche Muster, die sind dezent, umspielen Problemzonen, und man kann trotzdem mit nicht allzu tiefem Ausschnitt jedem zu verstehen geben, dass man eine Dame ist. Selbst Gertruds weiße Küchenhosen sahen schick aus. Ich hatte ihr geholfen, sie mit einer blauen, weit geschnittenen Bluse und einer hübschen goldenen Ankerbrosche zu kombinieren, und nun hatte mein Trudchen ein wirklich vorzeigbares maritimes Ensemble. Sie selbst wusste das zwar nicht zu schätzen und schimpfte, ich würde sie verkleiden wie Neptuns Schwiegermutter, aber darauf gab ich nichts.

«Da ist sie, die alte Ärztin aus Spandau. Frag doch mal wegen deiner Ekzeme, Richard!», hörte ich eine Frau ihrem Mann zuraunen. Der traute sich zum Glück nicht.

Die Bömmelmanns jedenfalls, das waren nette, aber recht einfache Leute. Beide um die 70, beide recht drahtig, auch wenn Herbert einen deutlichen Bauch hatte und man nicht mehr von einem Ansatz reden konnte. «Mein Schnitzelfriedhof» nannte er ihn und strich lachend drüber, als die Sprache darauf kam. Trotzdem war er nicht so ein Aufgedunsener, sondern wirkte im Ganzen sehr agil und stattlich. Gittl war zäh und mager und noch gut beieinander, wirkte aber trotzdem viel älter.

Wissen Se, es ist ja nicht nur das Aussehen, was einen alt macht, es kommt auch ein bisschen darauf an, wie man sich benimmt und wie man auftritt. Gittl hatte nämlich eine Tupperdose mit, und ich dachte schon: «Na, wenn die darf, dann darf ich auch!», und überlegte mir, dass ich wohl vom Schinken nehmen würde. Geräuchertes hält sich, selbst wenn es mal warm wird! Das hätte man gut im kleinen Kühlschrank in der Kabine verwahren können bis zur Abreise … Aber denkste, Renate! Gittl hatte die Dose nicht mit, um einzupacken, sondern um auszupacken! Sie werden es nicht glauben, aber sie hatte ihre eigene Wurst mit.

«Herbert isst nur die Leberwurst von zu Hause», kommentierte Gittl meinen erstaunten Blick, und man konnte hören, dass sie sich dafür schämte. Herbert ging auch nicht selbst zum Büfett, sondern scheuchte immer die Gittl.

«Aber Schwarzbrot! Nicht wieder das weiße Gelumpe!», brüllte er ihr nach. «Zwei Scheiben!»

Gittl konnte einem wirklich leidtun, dass sie mit so einem ollen Bock gestraft war. Sie mahnte ihn, die Portion einzuteilen, denn seine Leberwurst musste schließlich die ganze Reise über reichen.

Aber als mal gegrillt wurde an Bord, da hätten Se Herbert sehen sollen! Er holte sich zweimal nach von der Bratwurst und zeigte dem Koch sogar, wie man mit Bier ablöscht. «Aber da reicht das Billige, nicht, dass du das gute Exportbier auf das Steak kippst!», belehrte er den jungen Koch, der eifrig nickte, obwohl er offensichtlich kein Wort verstand. Jedenfalls war es ein Festtag für Herbert, als gegrillt wurde. Da sind Männer doch alle gleich; wenn der Grill an ist und Fleisch am offenen Feuer geröstet wird, dann langen se tüchtig zu. An dem Abend blieb die Tupperbüchse zu, und Gittl sparte zwei Fingerbreit Leberwurst.

Gittl war eine ganz Sportliche, so eine zähe kleine Frau mit raspelkurzem, rot gefärbtem Haar, die voller Energie war. Sie ist früher Sportlehrerin gewesen in Dresden und leitete jetzt, wo sie seit ein paar Jahren in Pension ist, alle möglichen Turnkurse für Senioren, fettleibige Kinder und schwang auch mit der Herzsportgruppe die Keulen. Sie machte aber richtigen Sport mit Hampelmann und Kniebeugen, nicht so einen Quatsch wie Kirsten. Bei Gittl war es ganz egal, wie man atmete, und man musste die Turnmatte auch nicht zum Mond hin ausrichten.

Auch hier auf dem Schiff ging sie jeden Morgen eine Stunde zum Sport. Die hatten hier Animatrosen, die einen trimmten und zum Mitmachen überreden wollten. Das war aber eher was für die Jüngeren, die sich beim Essen nicht mäßigen konnten und gegen ihr schlechtes Gewissen anstrampeln mussten. Ich habe mir das ein paarmal angeguckt, wenn ich meinen Morgenspaziergang über die Decks machte, aber nee, lassen Se mal, das war mir zu hektisch. Die Animatrosen trugen so angeklebte Mikrophone auf der Wange, durch die sie ständig riefen, wir sollten alle mitmachen. «Auch Sie dahinten an der Reling! Ja, Sie! Und eins und zwei und eins und zwei …» Dazu kam Bumsmusik vom Band, und sie sprangen und hopsten und zählten immer wieder neu. Das war so anstrengend, dass sie ständig mit dem Zählen durcheinanderkamen und immer wieder von vorn anfingen. Weiter als bis acht kamen sie nie.

Nee, Sport, und das auch noch im Urlaub, ist nichts für mich. Ich mache in Spandau mein Seniorenturnen, die Aquagymnastik mit Fräulein Tanja, und ich gehe auf den Friedhöfen spazieren. Das ist für eine alte Frau mit 82 Jahren und einer künstlichen Hüfte eine ganze Menge, da muss ich mich nicht verstecken. Man kann es auch übertreiben, finde ich. Während ich des Morgens über die Decks flanierte, schlief Gertrud noch eine Stunde und schnarchte so laut, dass ich Angst hatte, sie atmet die Gardinen ein.

Gittl turnte mit den Animatrosen mit, bald eine ganze Stunde. Ich beobachtete sie jeden Morgen und winkte ihr freundlich zu. Nach dem Hüpfen mit den jungschen Leuten nahm sie noch ihre Stöcke und ging stramm Nordisch Wokken, immer im Kreis, bis sie «auf Betriebstemperatur» war, wie sie das nannte. Jetzt überlege ich gerade, ob man nicht «Südlich Wokken» sagen müsste, weil wir doch im Mittelmeer waren. Auf jeden Fall pikste sie mit ihren Stöcken morgens schon vor dem ersten Kaffee den anderen Passagieren in den Hacken rum und kam danach immer völlig aus der Puste zum Frühstück. Ich glaube ja, sie ging nur deshalb jeden Morgen Sport machen, um mal eine Stunde von Herbert weg zu sein. Das konnte ich sehr gut verstehen. Ich hatte das ja selbst schon viermal mitgemacht.

Sie gaben sehr schöne dezente Musik zu Tisch. Eine kleine Kapelle spielte zurückhaltend, aber immer beschwingt. So, dass man leise mit dem Fuß mitwippen wollte, sich aber trotzdem noch unterhalten konnte, ohne sich anbrüllen zu müssen. Einmal sang Gertrud sogar mit! «Mango Namber Feif», trällerte sie, während sie mit dem Teller vom Büfett kam. Der kleine Kellner, der immer so quirlig war und schnell flitzte und Nachschub holte, erschrak etwas und guckte gleich auf den Obstplatten nach, ob noch genügend Mangos da waren.

Der Herbert Bömmelmann war sehr festgefahren in seinen Gewohnheiten, dem durfte Gittl nicht mal beim Essen mit was Neuem kommen. Er brauchte seine Sportschau und seine Leberwurststulle, dann war der zufrieden. Mehr erwartete der nicht vom Urlaub.

Wissen Se, ich bin auch ein Freund von Hausmannskost. Aber wenn ich im Ausland bin, will ich wenigstens ein kleines bisschen von der Kultur und von der Küche mitbekommen. Man muss zumindest mal probieren. Das hat Oma Strelemann schon immer gesagt: «Renate, wenn es dir nicht schmeckt, musst du es nicht essen, das ist gar nicht schlimm. Aber ich möchte, dass du es wenigstens probierst», so sprach sie, «sonst weißt du gar nicht, was du verpasst.» Oma Strelemann sagte das sehr oft zu mir, als ich noch ein kleines Mädchen war, und sie gab es mir auch am Tag meiner Hochzeit mit auf den Weg, allerdings meinte sie es da anders. Hihi.

Wir durften uns Essen vom Büfett aussuchen oder aus der Karte bestellen. Die Speisekarte war so groß wie eine Zeitung, aus festem Karton und bedruckt mit blasser Schnörkelschrift. Bei der Muschebubu-Beleuchtung mit ihrem Kerzenschein konnte man ohne Lesebrille rein gar nichts erkennen. Da stand kaum lesbar so Zeug wie «Variationen von Wildkräutersalat». Ich bitte Sie, da lässt sich eine Renate Bergmann doch nichts vormachen! Das Grüne von den Radieschen oder die Blätter vom Kohlrabi, das haben wir früher den Karnickeln gegeben! Heute nennen die das «Variationen von Wildkräutern» und nehmen dafür sechs Euro. Auch wenn es hier egal war, da alles im Reisepreis enthalten war, ist das eine Unverschämtheit. Ich bin kein Karnickel, das Gemüse-abfall unter schickem Namen mümmelt, Kreuzfahrt hin oder her. Das ganze andere Zeug war alles «im Duett», so hieß das, mit irgendeinem Gemüse. Ich will nicht, dass meine Mohrrüben mit dem Schweinefilet zusammen singen. Nee, da ging ich lieber zum Büfett. Da konnte man wenigstens gucken und musste nicht das Duett von Katzen im Sack bestellen.

Der Anblick des Büfetts senkte meinen Blutdruck wieder. Ach, wie prächtig die alles angerichtet hatten! Es war ein Fest fürs Auge. Das Gemüse und Obst war geschnitzt, und alles stand auf Eis, da konnte man mit Appetit zulangen und musste keine Angst haben, dass man sich was einfing. Trotzdem standen selbstverständlich auch vor

dem Restaurantspeisesaal diese Automaten zum Hände-
desinfizieren.

Gittl musste für Herbert Schnitzel bestellen, jeden
Abend. Der olle Bock sagte sein Essen nicht mal selbst
an beim Kellner, sondern schickte immer die Gittl in die
Verhandlungen mit dem Oberst. Ober. Sie tat mir sehr
leid. Die hatten Schnitzel nämlich gar nicht auf der Karte, aber Herbert bestand darauf. Fritzpommies wollte er
auch dazu, aber da hat sogar die resolute Gittl auf Granit
gebissen. Die brachten die Kellner ihm nicht, da konnte
Gittl fragen, sooft sie wollte.

Sie hätten mal hören sollen, wie er sie dafür aus-
geschimpft und angebrubbelt hat! So eine nette Frau im
Grunde, auch wenn sie übertrieben gern turnte. Aber so
einen sturen Grantelkopp hatte sie nicht verdient. Herbert machte ihr jedoch so die Hölle heiß wegen seiner
Fritzpommies, dass sie an das Kinderbüfett schlich und
für ihn da seine Beilage erbettelte. Sie hatten nämlich extra eine Theke für die kleinen Gäste, das war ganz zauberhaft. Die Speisen lagen da in Gittls Kniehöhe. Es gab
Bärchenwurst, Schlumpfeis, Milchreis mit Zucker und
Zimt, Nudeln mit Tomatensoße und selbstverständlich
auch Pommies, was Kinder – und Herbert – eben gern
essen. Gittl war sehr stolz und erleichtert, als sie eine
Doppelportion für Herbert ergaunert hatte. «Für den
Enkel, der sitzt da drüben und traut sich nicht her!»,
hatte sie geschummelt. Sie schob Herbert seine Kar-
toffelstäbchen auf seinen Teller und heimlich auch ein
paar Scheiben von der Bärchenwurst. «Hier, leg die weg

für morgen früh», flüsterte sie verschwörerisch. «Die ist ganz mager!»

Gertrud bestellt bei solchen Anlässen ja gern wie eine Frau von Welt Dinge, die sie weder kennt noch gern isst, nur um die anderen zu beeindrucken. Ich hatte gar nicht mitbekommen, was sie sich bestellt hatte. Man brachte ihr einen großen Teller, auf dem in der Mitte ein klitzekleiner Klecks grüne Soße schwamm und darauf ein Stückchen Fisch, ungefähr so groß wie ein Teelöffel. Darüber waren mit einer schwarzen Pampe Schnörkel gemalt.

«Was ist denn das, Gertrud?», fragte ich neugierig.

«Ich weiß es nicht, Renate, aber es muss was Gutes sein. Das kommt auf 38 Euro», kam leise als Antwort. Es verschlug mir die Sprache. Dem Himmel sei Dank hatten wir unsere roten Bändchen. Gertrud nahm einen Happs, dann waren die 38 Euro auch schon verschwunden.

«Der Tiefseebarsch ist großartig, den müssen Sie probieren», mampfte sie, und ein kleines Tröpfchen Soße rann ihr aus dem Mundwinkel. Ich schätzte, dass das mindestens zwei fuffzich waren, die ihr alsdann übers Kinn auf die Ablage tropften. Kennen Se das? Wenn Gertrud sich bekleckert, dann immer auf die Brust, sie ist obenrum recht ausladend gebaut. Untenrum auch, aber bis dahin schafft sie nicht zu kleckern, das wird schon vorher aufgefangen.

«Kriegst du denn gar keine Beilage?», fragte ich. Normalerweise bekommt man doch Brat- oder Petersilienkartoffeln zu Fisch! Hier jedoch nicht. Gertrud ging deshalb zum Büfett, um sich ein bisschen Brot zu holen. Die wunderbare Soße wollte sie aufditschen. Kaum jedoch hatte sie sich von der Tafel erhoben, kam ein Abräumkellner und nahm den Teller mit. Ich wollte noch protestieren, aber er rief nur: «Frau Doktor soll sich einen frischen Teller nehmen.»

Gertrud musste nicht hungern, haben Se da mal keine Sorge. Das Büfett war unbeschreiblich üppig und schön. Ich knipste wohl bald 20 Fotos mit dem Händigerät. Fotos kann man auch machen, wenn kein Interweb geht. Man kann sie nur nicht beim Fäßbock hochzeigen. Es ist verrückt, was diese kleinen, modernen Geräte alles können und auch wissen! Der weiß genau, es ist kein Onlein, deshalb schreibt er keine SM auf dem Schiff – es ist alles grau. Aber trotzdem macht er Bilder. Man muss staunen, sage ich Ihnen!

Gertrud kam mit einem voll beladenen Teller wieder. Sie hatte sich aus jeder Schüssel einen Löffel aufgetan. Als ich das Durcheinander sah, ahnte ich schon, dass das heute noch ordentlich Betrieb im Verdauungsapparat geben würde und dass ich das Bullauge wohl besser offen lassen sollte.

«Das sind Schnecken», gab Gertrud an, während sie einen kleinen Bissen vom Nudelsalat nahm und genüsslich kaute. Sie genoss es, von allen bestaunt zu werden. «Ganz zart. Ich habe ja mal auf Sansibar Schnecken gegessen, die waren zäh, aber die hier sind wirklich zart. Und der Tintenfischsalat! Den müssen Sie probieren!», gab sie laut zum Besten, obwohl sie nur ein paar Bohnen aß. Bei dem Kerzenschein konnte das keiner der anderen sehen.

Später aß sie noch von der Brombeermarmelade und riet: «Lassen Sie bloß die Finger vom Kaviar, der ist einfach nur versalzen und hat gar keinen Eigengeschmack!» Gertrud trumpfte richtig auf als Frau von Welt.

Herbert würgte. Für ihn war das eine fremde Welt, aber alle anderen Mitreisenden an unserem Tisch waren beeindruckt. Gittl tat Gertrud sogar den Gefallen und hakte wegen Sansibar nach. «Sagen Sie bloß, Frau Doktor, Sie waren schon mal auf Sansibar?»

Gertrud kaute lange und intensiv auf ihrem Weißwein rum. «Er hat einfach keinen Körper. Es fehlt ein bisschen an Schweif im Abgang. Bestimmt eine Spätlese vom Westhang. Sansibar? Ja, Frau Bömmelmann. Ich wurde da geboren. Aber mit 19, als ich geheiratet habe, bin ich dann nach Berlin gezogen.»

Mir blieb fast die Spucke weg. Gertrud trug aber richtig dick auf heute!

«Weißte, Renate», sagte sie hinterher auf der Kabine, als wir beide allein waren, «ich sehe die Leute nie wieder. Es ist doch schön, wenn sie mich für interessant halten, und sie haben jedem was über ihre Urlaubsbekanntschaft zu erzählen. Was haben wir denn sonst vom Leben? ‹Ich wurde auf Sansibar geboren› ist so ein Satz, der nichts kostet, aber mit dem du dich für andere Leute so spannend machst, dass sie den ganzen Abend über dich reden. Weißt du, hätte ich nichts erfunden, hätte nach zehn Minuten jeder erzählt, was er für Tabletten einnimmt, und wir hätten von unseren Krankheiten berichtet.»

Da musste ich schmunzeln und unterließ es, Gertrud

für ihre Schwindelei zu tadeln. Im Grunde hatte sie näm-
lich recht. Oft fragen mich die Leute, warum ausgerechnet
Gertrud meine beste Freundin ist, wo sie doch so robust
und derb ist und so gar nichts Feines hat. Aber in dem
Moment wusste ich es wieder ganz genau, und ich glaube,
Sie verstehen es auch, oder?

Gertrud und ich sind richtige Freundinnen.

Ich habe gestern eine sehr hübsche Liege am Schwimmingspool gesehen, die werde ich mir heute gleich mit einem «Frisch gestrichen»-Schild reservieren.

Jetzt muss ich mal ein paar ernste Worte sagen. Gleich erzähle ich wieder lustige Erlebnisse, haben Se keine Angst. Aber man muss auch mal innehalten und nachdenken. Über Freundschaften zum Beispiel.

«Bei der Freundschaft fängt's erst an, interessant zu werden – sich paaren können auch Hunde», hat Hildchen Knef, Gott hab sie selig, mal gesagt. Und recht hat se. Wissen Se, die Familie kann man sich nicht aussuchen, die kriegt man mit, wenn man heiratet, und die Kinder – nun ja, ich will mich nicht schon wieder wegen Kirsten beklagen. Man arrangiert sich. Aber bei Freunden, da hat man es in der Hand. Die kann man sich nämlich aussuchen, und für eine Freundschaft kann man auch was tun. Es gibt viele Sprüche über Freundschaft, die man immer wieder hört, und doch sind sie sehr wahr, zum Beispiel «Echte Freunde zeigen sich erst in der Not», «Auf wahre Freunde kann man immer zählen» oder «Gute Freunde halten zusammen». Gucken Se, in einer Zeit, in der man beim Fäßbock nur einen Knopf drücken muss, um befreundet zu sein, muss man umso dringender mal über die eigentliche Bedeutung nachdenken und auch darüber, was einem wichtig ist.

Ich für meinen Teil bin sehr vorsichtig mit dem Wort «Freundschaft». Für mich ist das Wort Freund eine Auszeichnung, die ich nur wenigen Menschen verleihe. Es steht für Vertrauen und Verlässlichkeit. Ich kann sagen: «Ich kenne den und den und die und die.» Ich kann mich mit Leuten zum Tanztee treffen, mit ihnen zum Altennachmittag gehen oder eine Busfahrt unternehmen, wir können Spaß haben, lachen und einen netten Abend verbringen. Aber deshalb müssen das nicht Freunde sein. Das geht auch mit Bekannten. Ich sage immer «angenehme Zeitgenossen».

Freunde jedoch sind mehr. Mit Freunden teilt man auch seine Sorgen und fragt sie um Rat. Das ist was Persönliches. Dass heute ganz offen über den Kontostand oder den Unterleib mit Wildfremden geredet wird – nee, sind Se mir nicht böse, aber da mache ich nicht mit. Nennen Se mich altmodisch, aber ich finde, wir sollten viel mehr darauf aufpassen, wem wir was erzählen und wen wir in unsere Seele schauen lassen. Dann geht auch nicht so viel kaputt. Freunde kennen meine Fehler und dürfen mich auch zurechtweisen. Sie dürfen das nicht nur, von denen erwarte ich das auch. Man will ja dazulernen und nicht als verbohrter, unverbesserlicher alter Mensch enden. Meine Freunde sind für mich da und schenken mir ihre Zeit, was etwas ganz Wertvolles ist. Wenn Sie älter werden, werden Sie mir zustimmen und merken, was ich meine. Das Gefühl, gebraucht zu werden, ohne ausgenutzt zu werden, das sind sehr schöne Momente, glauben Sie mir. Man gibt doch gern, und zwar nicht nur Topflappen. Das ist ein schönes Gefühl.

Freundschaft ist eine Frage der Qualität. Wenn ich sagen soll, wer meine Freunde sind, dann stelle ich mir die Frage: «Wenn es mir mitten in der Nacht schlechtgeht und ich Hilfe brauche, wen kann ich dann anrufen? Wer ist dann sofort da für Renate Bergmann und kommt?» Die Handvoll Personen, die mir da einfallen, das sind echte Freunde.

Wirkliche Freundschaften brauchen Zeit. Damit meine ich, dass sie über Jahre wachsen müssen, und auch, dass sie gepflegt werden müssen. Ich habe Freunde, die kann ich auch ein halbes Jahr mal nicht sehen. Und trotzdem ist alles wie immer, wenn man sich wieder zur Pflanzsaison auf dem Friedhof trifft. Man weiß, wo das Zahnschälchen steht, und fühlt sich zu Hause und verstanden. Aber wenn man den Kontakt zu lange schleifen lässt, entfernt man sich voneinander. Es ist das Normalste der Welt, dass jeder sein Leben lebt und sich weiterentwickelt. Jeder geht seinen Weg in seine Richtung, und nur selten verlaufen da die Etappen parallel oder kreuzen sich. Das ist der Lauf des Lebens.

Freundschaften haben Höhen und Tiefen. Auch Gertrud und ich hatten Zeiten, wo wir uns nicht jede Woche gesehen haben. Wilhelm, Kirsten und ich wohnten in Karlshorst und Gertrud mit ihrer Familie oben in Pankow, wir hatten unser Tun und gingen arbeiten ... da hatte man nur losen Kontakt. Aber auch in diesen Zeiten, in denen andere Menschen wichtig sind, und man sich nicht so eng verbunden ist, stellt man eine wirkliche Freundschaft nicht in Frage. Man kann sich ein Stück weit voneinander entfernen, doch man findet immer wieder zueinander, wenn das Band der Freundschaft stark genug ist und wenn beide es wollen. Wer sich kennt, achtet und mag, der schafft es auch, Freundschaften zu erhalten und zu vertiefen.

Man muss füreinander da sein und zuhören können, und ganz wichtig ist es, sich auch mal zurückzunehmen und im entscheidenden Moment etwas nicht zu sagen, sondern nur zu denken. Hin und wieder muss man die Dinge laufenlassen und beobachten und dann im richtigen Augenblick da sein und Hilfe und Halt geben. Freundschaft heißt auch sich raushalten und nicht einmischen. Was meinen Se, wenn Gertrud wüsste, was ich von Gunter Herbst halte! Der Mann hat einfach nicht ihr Format, ganz egal, ob er Geld hat oder nicht. Aber eine Renate Bergmann ist stille und hält die Klappe, und wenn Gertrud dereinst merkt, was für eine Flitzpiepe sie sich da angelacht hat, dann werde ich da sein und sie trösten – so wie ich seit Kindertagen immer da war und wie Gertrud für mich da war.

So sind meine Freundschaften – auch zu Ilse und Kurt – über die Jahre gewachsen und gereift. Sie verzeihen mir meine Fehler und helfen zurück auf den rechten Weg, wenn man sich mal verirrt. Freunde sind wie unsichtbare helfende Hände: immer da, wenn man sie braucht, aber nie lästig und bevormundend. Sie mischen sich nicht ein, wenn sie nicht gefragt werden, und schreiten nur im entscheidenden Moment ein, um Unheil zu verhindern. Wie Schutzengel, aber im Gegensatz zu Kirsten vertraue ich lieber auf meine Freunde als auf Schutzengel und kraftspendende Steine.

Wahre Freundschaften überdauern auch Partnerschaften. Gucken Se sich die Männer an, Gertruds Gustav genau wie meine vier – alle haben sie sich aus dem Staub gemacht oder sind zu Staub zerfallen da unten in ihren Gruben auf den Friedhöfen. Aber Gertrud, die ist da. Die war immer da und hat Korn eingeschenkt auf allen vier Beerdigungen meiner Männer, und als ihr Gustav starb, war es umgekehrt, da habe ich eingeschenkt. Wir teilten immer unsere Sorgen und Nöte. Ich glaube, man kann Freundschaft gar nicht besser definieren, als es Hildchen Knef getan hat.

Da steckt alles Wichtige drin. Freundschaft ist eines der allerhöchsten Güter. Und wenn das nächste Mal eine Freundschaftsanfrage auf dem Fäßbock kommt, möchte ich am liebsten antworten: «Du darfst gerne sehen, was ich schreibe, Jungchen, aber um ein Freund zu sein, da braucht es mehr.»

✳

So, nun wissen Se, wie ich zur Freundschaft stehe, und bestimmt verstehen Se auch, warum Gertrud meine allerbeste Freundin ist und immer bleiben wird. Was zählen schon ein paar Hundehaare auf ihrer Bluse, wenn man sich auf sie verlassen kann in den Stunden der Not.

Gertrud hatte sich dank der Medizin gut an den Seegang gewöhnt, aber war immer noch manchmal etwas schlapp und blieb auf der Kajüte. «Nimm du mal deine Matrosenzäpfchen, ich gehe ein bisschen auf dem Deck spazieren», sagte ich zweimal am Tag zu ihr und ging meine Runde. Der Pott war so groß, dass man sich verlaufen konnte, aber eine Renate Bergmann ist ja keine verwirrte Oma, die ohne Orientierung umhertapst, sondern findet jederzeit wieder zu ihrer Kabine. Blauer Flur, Stübchen 2442.

Wie ich so allein über das Schiff spazierte, da guckte ich mich natürlich auch ein bisschen um. Ich fragte mich, ob die einem tatsächlich in allem die Wahrheit sagten. Ob das wirklich stimmte, dass für jeden ein Platz im Rettungsboot war? Als ich die vielen Menschen gesehen hatte beim Einschiffen und auch bei der Seenotrettungsübung, da wurde mir angst und bange und Himmel noch dazu. Also, Himmel, angst und bange. So rum ist es richtig. Ich guckte mir die Boote an und schätzte, dass wohl höchstens 60 Seelen in so ein Ding passten. Es gab gerade 20 Boote, das langte hinten und vorne nicht!

Ich inspizierte auch die unteren Räume. Angeblich durften da nur Mitarbeiter hin, aber ich hatte den vollen Reisepreis bezahlt und durfte ja wohl wissen, was sich da unten so verbirgt. Immerhin vertraut man denen sein Leben an hier auf hoher See. Vorne können se überall sauber machen und ihre Plastepalmen aufstellen (das hab ich direkt gefühlt, dass die nicht echt waren!), aber wie es hinten aussieht, das ist doch wichtig! Wo zum Beispiel der Kühlraum an Bord war, das interessierte mich. Also, nicht für das Gemüse und die Erdbeeren, sondern ... Sie verstehen schon. Auf so einem Schiff sind viele alte Leute, und es ist nun wirklich nicht so, dass mich Gertruds bisschen Seekrankheit auf diese Gedanken gebracht hatte, aber es kam bestimmt hin und wieder vor, dass es für jemanden nicht nur eine große und aufregende Reise war, sondern auch seine letzte. Den können die doch nicht in den Gepäckraum legen oder zum Gemüse in den Kühlbunker, da muss es doch einen würdevollen Raum geben, der auch gekühlt wurde! Immerhin waren wir im Mittelmeer unterwegs, und auch wenn es erst Mai war, gab es heiße Tage. Man kann nun mal nicht einfach wo rechts ranfahren und den Verschiedenen irgendwo verscharren. Wer kommt denn da zum Gießen?, frage ich Sie.

Ich weiß noch, wie die alte Gräfin Hertha von Stettlersbein seinerzeit von uns gegangen ist. Sie war 97 geworden, ein wirklich gesegnetes Alter. Zum Ende hin war sie nicht mehr ganz klar im Oberstübchen und lebte sehr zurückgezogen in ihrer Villa im Grunewald. Von der Welt dadraußen hat sie nicht mehr viel mitbekommen. Sie wusste nicht, was sie da verfügte, als sie im Testament anordnete, dass man sie eine Woche lang aufbahren sollte, damit Freunde, Verwandte und adelige Herrschaften von ihr Abschied nehmen konnten. Sie starb im Juli, wissen Se, das kann man natürlich vorher nicht wissen. Wir hatten jedenfalls gerade eine Hitzewelle, und der Planet brannte dermaßen, dass das Quecksilberthermometer 40 Grad im Schatten zeigte. Man hat einen Kompromiss gemacht und die alte Gräfin nach zwei Tagen in die Kühlung gebracht.

Damit war ihrem Willen zur Genüge Rechnung getragen, entschied ihr Rechtsanwalt und Testamentsvollstrecker. Es war ja auch keiner gekommen, um Abschied zu nehmen, sie war mit ihren 97 gewissermaßen die Letzte aus ihrer Generation. Die gute Hertha, sie hatte ihr Testament in den fünfziger Jahren gemacht, als die Welt noch eine andere war. Damals hatte sie auch verfügt, dass der Leichenschmaus im Kempinski ausgerichtet werden sollte. Dem Himmel sei Dank sind die nicht pleitegegangen in all den Jahren, es wäre ein Jammer gewesen! Die waren damals schon die erste Adresse für solche Anlässe. Es war ein Festschmaus, die kalten Platten waren fast so schön und so üppig wie die hier auf dem Dampfer.

Wenn ich alleine unterwegs war, stand ich zwischendurch auch mal gern für ein paar Minuten ganz für mich auf dem Deck und schaute auf das Meer. Diese unendliche Weite! Da konnte man die Gedanken so schön schweifen lassen. Es hatte so was Beruhigendes, die Sonne am Himmel und die stille Weite zu genießen. Wie sich das Schiff durch das Wasser schnitt und ganz sanft die Wellen zur Seite drückte, das begeisterte mich immer wieder. Ich ließ mir den Seewind um die Nase wehen, und wenn es mal ein bisschen frischer war, hatte ich das schöne Tuch von Ilse dabei, das sie mir mitgegeben hatte. «Falls du mal Heimweh kriegst, Renate. Als Erinnerung an mich.» Ach, es roch ganz fein nach ihrem wunderbar dezenten Parföng, und ich dachte an zu Hause und an Ilse. So schön es in der Ferne auch war – zu Hause bleibt zu Hause!

Da Gertrud wieder auf dem Dampfer war, also, Sie wissen schon, wie ich das meine, konnten wir auch endlich bei den Ausflügen mitmachen. Die waren schließlich gebucht und im Voraus bezahlt, das wollte man nach Möglichkeit nicht verfallen lassen. Es hat doch alles Geld gekostet!

Wir hatten schon im Vorfeld verabredet, dass wir so viel wie nur irgend möglich mitmachen wollten. Schließlich wollten wir Land und Leute kennenlernen und nicht den lieben langen Tag lang dem dicken kleinen Maurice-Joel dabei zusehen, wie er mit Schwimmflügeln im Planschbecken sitzt und Popel isst. Nee, wir wollten was sehen! Gertrud und ich hatten uns aber auch versprochen, ganz ehrlich miteinander zu sein und uns zu sagen, wenn es nicht geht. Mit 82 drückt einem manche Tage das Wetter auf den Kreislauf, oder man hat mal geschwollene Beine, oder es wird einem einfach zu viel – in dem Fall wollten wir es uns sagen und dann ruhig auch mal aussetzen und auf dem Kutter bleiben. Aber ansonsten machten wir alles mit.

Heutzutage mit dem Euro ist das ja auch alles gar kein Problem, wir konnten in Spanien, in Italien und sogar in Griechenland damit bezahlen. Gerade da hatte ich es nun wirklich nicht mehr erwartet, nach allem, was gewesen ist. Aber nee, die machten keine Anstalten und nahmen unser Geld gern. Nicht nur die großen Batzen von der Merkel, nee, auch die kleinen Münzen für einen Kaffee von Gertrud und mir. Hihi. Sogar in Jugos… nee, warten Se, das heißt jetzt Kroatien. Sogar in Kroatien nahmen sie ohne Probleme Euro, wir mussten nichts umtauschen. Eigentlich haben die da anderes Geld, aber sie sind gut auf uns Touristen eingestellt.

Entschuldigen Se, ich springe gerade ein bisschen, aber mir fällt eben ein, in Griechenland ist uns eine Geschichte passiert, nee, das muss ich Ihnen jetzt erzählen, bevor ich's wieder vergesse. Gertrud und ich hatten gut gefrühstückt und den Ausflug «Land und Leute» gebucht. Wir besichtigten die wunderschöne Stadt Biftakas. «Die 73 mit Reis», sagte Gertrud, als sie den Namen der Stadt auf dem Reiseplan las. Hihihi ... Ach, herrlich, was haben wir gelacht! Ich freute mich, dass es Gertrud wieder so gutging. Der Landausflug war wirklich schön, es gab reichlich Gestein und Sonne und olle Ruinen, na ja, was die halt so gebaut haben, die alten Griechen. Ein bisschen Kultur ist gut und schön und auch wichtig, aber wenn man eine alte kaputte Stadt gesehen hat, reicht es auch. Man muss es nicht übertreiben und nun jede Tonscherbe mit Zahnbürste, Teelöffel und Rasierpinsel ausbuddeln.

Ich weiß noch, als der Nachbar von Kurt damals den Anbau seiner Veranda geplant hat, da waren Gläsers entschieden dagegen. Die Laube hätte ihnen die schöne Sicht genommen auf den Wald. Kurt beobachtet da immer die Hasen und Rehe und die Nachbarin beim Sonnen, aber trotz Einspruch beim Amt blieb die Erlaubnis. Kurt war sehr böse, und wenn Se mich fragen, sehr zu Recht. Er hat Ilse dann ein paar Pfund Rinderknochen abkochen lassen und zwei alte Tonkruken von seinen Eltern zerschlagen und die Knochen mit den Scherben abends im Dunkeln in die Baugrube der Nachbarn geworfen. Am nächsten Morgen musste er gar nichts mehr machen. Die Baufirma hat sofort das Amt für Denkmalschutz angerufen, und sie haben drei Wochen lang den ganzen Garten von Gläsers Nachbarn Schicht für Schicht abgetragen. Als sie fertig waren, war der Grund so weich vom Umgraben, dass die Baubehörde die Genehmigung zurückgezogen hat. Gläsers genießen bis heute den schönen Ausblick auf die Hasen, Rehe und auf die Nachbarin.

Huch, ich schweife wieder ab. Also, in Biftakas (wissen Se was? Ich staune selbst, dass ich mir das merken kann, wie die Stadt hieß!) ist etwas passiert, nee, das muss ich Ihnen schnell aufschreiben! Gertrud und ich promenierten durch die Altstadt – ehrlich gesagt gibt es da auch nur Altstadt! – und genossen die schöne Sonne. Ein Japaner klopfte mir auf die Schulter, der Herr faltete die Hände und verbeugte sich und schenkte mir einen großen Fotoapparat. Ein sehr teures Gerät, das sah man schon auf den ersten Blick. Das konnte ich doch nicht annehmen! Ich wollte es ihm erklären, aber er verstand kein Deutsch und zeigte mir, wie die Knipskiste funktioniert. Dann legte er den Arm um seine Frau und winkte Gertrud und mir zu. Aber kaum, dass ich den Apparat eingesteckt hatte, hat er es sich anders überlegt und kam wie ein Derwisch auf mich zugesprungen und entriss ihn mir wieder. Leute gibt's! Wir schüttelten nur kurz den Kopf, prüften, ob noch alles in unseren Handtaschen war – am Ende war das eine Gängsterbande, die alte Damen bestiehlt! –, und machten uns auf den Weg zu unserem Bus. Es wurde höchste Eisenbahn, man will schließlich nicht auf den letzten Drücker kommen.

Wir wurden nämlich mit dem Bus in die Innenstadt gefahren, müssen Se wissen. Ausgeschifft hat man uns mit einem kleinen Boot, das nicht größer als eine Nussschale war. Gertrud und ich sind nur bei ruhiger See zugestiegen, das hätte sonst gar keinen Sinn gehabt.

Meist bekam das Schiff einen guten Parkplatz im Hafen, sodass wir über einen Hühnersteig an Land klettern konnten, aber manchmal blieb der Pott auch ein bisschen vor der Küste stehen, und es kamen solche kleinen Wackelboote. Da musste man erst schauen, wie die Wellen gingen. Das konnte ich Gertrud nicht zumuten, und ganz ehrlich, so eine Wasserwippe war auch für mich nicht das Richtige. Wir verpassten auch nicht viel, denn alle Gäste, die die Fahrten mitmachen, berichteten nur davon, wie schlecht ihnen war. Selbst die jungen Leute verbrachten die Fahrt auf Knien, um die Wellen besser ausbalancieren zu können.

Sie offerierten auch kleine Hafenrundfahrten mit diesen Booten, wissen Se, die gingen nicht so lange wie die großen Landausflüge. Aber da durften die Kadetten ans Steuer, die noch in der Ausbildung waren, keine richtigen Kapitäne. Na, ich lasse mir doch auch nicht vom Lehrmädel die Haare frisieren! Nee, nee. Da machten wir nicht mit. Wenn, dann was Richtiges.

※

Ich wurde allmählich misstrauisch. Ich fragte mich die ganze Zeit, ob mir Kirsten die Franziska wohl als meine persönliche Aufpasserin auf den Hals gehetzt hatte. Sie war STÄNDIG um mich herum! Wohin ich schaute, war Fräulein Franziska nicht weit. Gingen Gertrud und ich von Bord, stand sie da und hakte uns auf ihrem Klemmbrett ab. Gingen wir an den Schwimmingpool, stand sie am Rand und winkte uns zu. Selbst beim Essen streunerte sie «zufällig» an unserem Tisch vorbei und fragte, ob alles recht wäre und ob wir uns die Hände desinfiziert hätten.

Fehlte nur noch, dass sie mitschrieb, wer wie viele Scheiben Wurst nahm! Man traute sich kaum, zwei, drei Extrascheiben für die Tupperbüchse vom wirklich wunderschönen Büfett zu holen. Selbst auf den Landausflügen war die Beatrice-Franziska dabei und saß vorne im Bus. Eine richtige Hausdame war die nicht, eher ein Mädchen für alles und bestimmt auch ein bezahlter Spitzel von Kirsten. Mir macht doch keiner was vor! Eine Hausdame hätte den anderen Zimmermädchen auf die Finger geguckt, ob die richtig Staub wischten und den Spiegel in der kleinen Badestube ordentlich polierten, aber da war nichts von ihr zu sehen. Man musste sich sehr wundern!

Wo wir gerade dabei sind: Es hätte wirklich notgetan, die Zimmermädchen ein bisschen zu kontrollieren. Mit denen war das nämlich so eine Sache. Sie waren fast alle aus Philippinien, gaben sich viel Mühe mit dem Grüßen und riefen schon von weitem «BONSCHORNO» und verbeugten sich ein bisschen, wenn man sie auf dem Flur traf.

Dabei macht man gar keine Diener mehr heutzutage. Das hat mir die Frau Berber erzählt. Ich hatte ihren Jens-Dschämie nämlich belehren wollen über die Umgangsformen – da ist vonseiten der Mutter ja nichts zu erwarten, die kriegt selber den Mund höchstens zu einem mauligen «Morgen» auf. Der Junge soll es aber doch wenigstens wissen, damit er eine Schangse hat im Leben!

Als ich in der Berber'schen Küche mit ihm Rechnen übte, habe ich ihm gezeigt, wie eine richtige Verbeugung beim Begrüßen geht: Die Jungen machen einen Diener, die Mädchen einen Knicks. Da hat es ganz schon geknirscht in der Hüfte, sage ich Ihnen! Die Berber kam gerade zur Tür rein, wahrscheinlich wollte sie wieder an den Kühlschrank, und half mir hoch. Sie schimpfte und belehrte mich, dass in den heutigen Zeiten nicht mehr geknickst und verbeugt würde. Das wären Ehrerbietungen aus vergangenen Tagen, und so was machte man nicht mehr. Bitte, wenn das so ist … eine Renate Bergmann geht mit der Zeit und hängt nicht an Relikten aus Kaisertagen. Wir einigten uns dann auf freundliches Grüßen ohne Verbeugung, für Mutter und Sohn. Es klappt so leidlich – mit Jens-Jemie noch besser als mit der Mutter!

Aber wo war ich … ach ja, das Zimmermädchen! Da wollte ich Ihnen noch eine Geschichte erzählen, warten Se:

Wir hatten in unserer kleinen Kabinenstube sogar einen Fernseher. Im Hotel ist das ja üblich, da wundert man sich nicht mehr, aber sogar hier auf dem Schiff? Ich werde das nie verstehen, wie es sein kann, dass man da Empfang hat. Wenn wir früher das dritte Programm sehen wollten, musste Wilhelm hoch auf den Dachboden und an der Antenne drehen. Derweil musste ich unten am Gerät die Knöpfe 1 und 3 gleichzeitig drücken, und so konnte man zwar vorübergehend DDR2 nicht mehr empfangen, aber das machte nichts. Da liefen sowieso bloß alte Filme. Dafür konnten wir die «Abendschau» vom Dritten angucken. Stefan sagt immer: «Das Dritte ist was für Leute mit den Dritten», und lacht, aber ich sehe lieber die Abendschau als Schießfilme. Darum geht es auch gar nicht, es geht darum, dass sofort der Sender weg war und ich nur noch Schnee auf dem Bildschirm krisseln sah, wenn Wilhelm oben die Hand von der Antenne nahm.

Aber auf dem Dampfer liefen alle Sender, die man sich denken kann – bis auf den Fußballsender, und wie egal mir das war, können Se sich aufmalen. Äh … aus. Richtig aufgeregt hat sich darüber der Herr Bömmelmann aus Dresden, aber dazu komme ich später. Jedenfalls konnten Gertrud und ich ohne Probleme die Abendschau sehen und sogar unsere Serie mit dem Schloss und den roten Rosen. Nicht jeden Tag, wir waren schließlich nicht zum Fernsehgucken verreist, aber ab und an beim Mittagsschlaf schon. Mich wunderte nur, dass sich der Fernseher nicht merkte, was man eingeschaltet hat: Zu Hause ist es so, dass er, wenn ich zum Beispiel als Letztes den Nordfunk 3 anhatte und dann abstelle, dann ist der Nordfunk 3 auch an, wenn ich wieder anknipse. Hier lief «MANILA TELEVISOR 2», wenn ich den Apparat anmachte. Es war ja nicht schlimm, ich hatte mir gemerkt, dass mein Sender auf 471 war, und schaltete da hin, aber komisch war es, das müssen Se zugeben.

Aber dann gab es eine Erklärung: Wie üblich machten uns Gertrud und ich auf zum Landausflug und waren schon fast von Bord – Fräulein Franziska hatte uns bereits auf ihrer Liste auf dem Klemmbrett abgehakt –, da fiel mir ein, dass ich das Päckchen mit dem schönen Schinken und der Dauerwurst vom Büfett vergessen hatte, das ich auf der Post aufgeben und Ilse schicken wollte.

Ja, gucken Se nicht so, das war alles im Preis mit drin, und sie hätten es sowieso weggeschmissen. Es war ein Jammer um den schönen Aufschnitt, und Gertrud hatte mittlerweile auch drei komplette Gedecke und Besteck für vier Personen im Koffer. Ich bin also noch mal zurück in die Kabine, um die Wurstwaren aus dem kleinen Kühlschrank zu holen, in den die immer die teuren Fläschchen stellen, und da habe ich das liederliche Ding erwischt.

Liegt doch das Zimmermädchen auf Gertruds Bett, hat den Fernseher ganz laut an und guckt philippinisches «Rote Rosen»!? Ich erschrak so, dass mir die Worte fehlten. Dem Mädelchen war es auch sehr unangenehm, dass ich es erwischt hatte, es sprang sofort auf, knipste den Fernsehapparat aus und wuselte mit ihrem Straußenfedermopp los. Ich war so perplex, wissen Se, es war uns beiden sehr peinlich. Seit dem Tag war immer mein Sender drin, und die nette Frau grüßte so euphorisch, dass sie fast hinschlug auf dem Flur, wenn sie mich sah.

Als ich zum Bus zurückkam, war die Hostessen-Franzi ganz durcheinander, weil sie mich ja schon abgestrichen hatte. Da fing sie tatsächlich gleich noch mal von vorne an, uns alle zu zählen. Vor dem Verlust einer Oma hatten die noch mehr Angst als vor dem Nordvirus, sage ich Ihnen. Die scheinen richtig Ärger zu kriegen, wenn sie bei einem Ausflug eine Oma verbummeln, sonst würden die nicht so aufpassen. Ich kannte die Kinder der anderen Mitreisenden nicht, aber Kirsten würde ein Donnerwetter schlagen und ihre an sich gute Kinderstube vergessen, wenn ich denen verlorengehen würde, deshalb konnte man das in gewisser Weise verstehen.

Meiner Meinung nach übertrieb Franziska es aber ein bisschen, denn wir waren schließlich nicht debil, nicht mal der Herbert. Als Hausdame hätte sie lieber mal die Zimmerfeen kontrollieren sollen. Sicher, so sauber wie zu Hause ist es im Urlaub nie, und auch wenn es im Großen und Ganzen nichts zu meckern gab – der Ausguss in der Duschkabine war ganz stumpf, der hätte mal wieder poliert werden können!

Aber stattdessen saß sie vorne im Bus und machte Durchsagen, die lustig sein sollten, und animierte uns zum Singen. «Ich bin Franziska-Beatrice, Sie kennen mich ja bestimmt schon. Sie dürfen mich gern Franziska nennen und alle Ihre Sorgen bei mir abladen, dafür bin ich da.» Dann kicherte sie so künstlich, und aus einem alten Kassettenrekorder kam leierige Musik, die gute Laune verbreiten sollte, aber die doch nur Kopfschmerzen machte.

Kennen Se das Gejammer, das in griechischen Restaurants oft aus den Lautsprechern dröhnt? Ich verstehe den Text ja nicht, aber meist klingt es so wehleidig. Als beschwerte sich der Sänger darüber, dass die Bergziege nun alt ist und keine Milch mehr gibt. Fürch-ter-lich! Solche Musik legte die Franziska hier ein, um uns auf «Land und Leute einzustimmen», wie sie sagte. Da hatte man schon gar keine Lust mehr. Kathrin, also Kirstens Schulfreundin aus dem Friseurlädchen auf dem Schiff, war mit uns gereist. Sie kannte Kreta, sie war früher mit ihrem Mann schon mal da gewesen und wollte uns die Insel zeigen. Sie saß eine Reihe hinter uns im Bus und rollte ein bisschen mit den Augen, als ich mich zu ihr umdrehte. Auch ihr ging unsere Reiseleiterin auf die Nerven, aber wir würden uns davon nicht beeindrucken lassen und uns einen schönen Tag machen.

Gertrud hatte keine rechte Lust.

«Kreta», sagte sie, «ist das Spanien oder Italien, Renate?»

«Es ist Griechenland, Gertrud», klärte ich sie auf, aber sie hatte es sowieso gleich wieder vergessen.

Der Bus kutschierte uns direkt vom Hafen ins Landesinnere – was man auf einer Insel so «Landesinnere» nennt. Es war eine Fahrt von gut zwei Stunden, und ich hatte zwischendrin den Verdacht, die fahren uns zweimal um das ganze Eiland drum herum und laden uns am Ende an einem Landgasthof aus, wo wir Heizdecken kaufen sollen. Aber Gertrud fährt ja für ihr Leben gern Bus, und so genoss sie es.

Apropos Heizdecken: Erst vor ein paar Wochen waren wir auf einer Busreise gewesen. Es ist ja immer dasselbe, wissen Se, es geht in aller Herrgottsfrühe los, sie kutschen einen vier Stunden durch den Nebel auf ein Dorf, auf dem es keinen Händiempfang gibt, und der Onlein ist auch nicht da, und dann soll man was kaufen. Wir kennen das ja schon und stellen die Ohren auf Durchzug, aber wissen Se, es sind auch immer welche dabei, die an die versprochenen Gewinne glauben und sich ein bisschen aufregen, dass es nichts davon gibt. Gertrud und ich bestellen uns dann einen Korn und amüsieren uns.

Ach, Hauptsache, man ist mal raus und kommt vor die Tür, nich wahr? Zu Hause sitzen und auf Gevatter Tod warten können wir ja nun immer noch. Letzthin landeten wir gegen elf Uhr auf einer Art Landgasthof. Wir wurden in einen Saal gescheucht, in dem es nach Zigarrenrauch, Frittierfett und Raumspray «Grüner Apfel» roch. Das versprochene und angekündigte «reichhaltige Mittagessen» war eine dünne Scheibe Schweinebraten in plörriger Soße und harten Kartoffeln, ohne Gemüse dazu. Es war auch nicht umsonst, sondern kostete 14 Euro 80.

Das war im Grunde eine Frechheit, einem so was zu offerieren, aber man muss dem Magen schließlich eine Kleinigkeit anbieten und kann nicht hungern, nich wahr? Sie wissen ja, ich bin Diabetiker und darf nicht unterzuckern. Der Koch war ganz offensichtlich ein Ahne aus dem Hause Sonnen-Bassermann. Der Braten schmeckte salzig und nach Chemie. Immerhin machte er satt, sach ich mal.

Kaum, dass wir gegessen hatten, kam ein Mann mit angeklebtem Mikrophon an der Wange und einer Schnapsnase, der uns laut und aufdringlich versuchte seinen

Plunder anzudrehen. Bei Gertrud und mir beißt er da auf Granit. So dumm sind wir beide nicht, dass wir diesen überteuerten Kram kaufen. Er pries eine Massageauflage für das Bett für nur 498 Euro an, wissen Se, das ist mehr als die halbe Rente!

Ich meldete mich und fragte, wie sich das denn mit meiner Heizdecke verhielt. Sie wissen ja, ich schlafe von September bis Mai mit meiner Elektrischen. Kam die Massageauflage da drauf oder drunter? Und war das überhaupt gut, sich nachts auf mehrere Schichten Stromkabel zu legen? Ich bin nun wirklich keine, die mit der Wünschelrute die Strahlen wittert, aber hier neigte ich zu Kirstens Skepsis. Der Verkäufer kam ins Schlingern und meinte, in meinem Fall wäre es wohl wirklich besser, die Massage nur ohne Heizdecke zu machen. Das kam für mich natürlich nicht in Frage. Da der aber keine öffentliche Diskussion mit mir wollte, bot er mir eine zweite Portion vom trockenen Schweinebraten aufs Haus an und erzählte einfach weiter. Ich bin nicht käuflich, aber den Nachschlag ließ ich bringen, Gertrud verdrückte das Scheibchen Fleisch mit Wonne. Ihr robuster Magen kann das besser ab als meiner.

Als Nächstes gab es kleine Fläschchen mit Fittaminen drin, von denen man jünger werden soll. Das will ich gar nicht! Ich finde es sehr schön, nicht mehr jung und doof zu sein. Es hat mich über 80 Jahre gekostet, zu werden, wer ich bin und wie ich bin, und ich sage Ihnen ganz offen: Das gefällt mir sehr gut. Sicher, die Hüfte knackt hin und wieder, und ab und an zwickt es auch im Rücken, aber ich bitte Sie! Wer ist denn so dumm und glaubt, man kann die Zeit zurückdrehen, indem man süßlichen Saft aus bunten Fläschchen trinkt? Es war eine «Kur» mit 1000 kleinen Ampullen für gut 2000 Euro, die die Venen durchspülen sollten. Nach der Kur wären angeblich 90 Prozent der Verkalkungen aus den Adern entfernt. Nee, nee. Da mache ich lieber ab und an einen Spritzer Kaffeemaschinen-Entkalker in Gertruds Tee, das schmeckt wie Zitrone, ist billiger und hilft auch. Gucken Se sie sich an – vielleicht hat sie ein bisschen viel auf den Rippen und muss das Knie mit stinkender Salbe einreiben, aber verkalkt ist sie nicht. Die weiß alles!

Es wurde auch ein Fitnessgerät verkauft, das gegen alles helfen sollte: hohen Blutdruck, Fettleber und sogar gegen Hammerzeh, aber da hörte ich nicht so genau zu, sondern versuchte die Kellnerin zu erwischen, damit sie uns einen Verdauungskorn brachte. So dünn der Schweinebraten auch war, er lag schwer im Magen.

Der Fatzke mit der Schnapsnase war derweil zu einer Matratze übergegangen, die er anpries. Er erzählte, dass falsches Liegen dazu führt, dass die Organe nicht richtig durchblutet werden und man Angora Pectoris kriegt von der falschen Matratze, also Herzinfarkt. Das will man ja nun nicht, allerdings werde ich auch böse, wenn man alten Leuten Bange macht.

Ich kenne mich nun schon ein bisschen aus mit Kaffeefahrten und weiß, dass man nichts erreicht, wenn man dem Schnösel mit dem Mikrophon widerspricht. Aber wenn man sich meldet und als naive Omi Zwischenfragen stellt, gibt es oft ein Gelächter im Saal, und es kauft keiner mehr was. Ich meldete mich und sagte gleich vorab, dass ich satt war und keinen Nachschlag mehr wollte, und fragte ihn, ob man denn mit dem Staubsauger über die Wundermatratze durfte, wie es sich bei Bettnässern verhielt und ob sie auch bei Gürtelrose half. Der ganze Saal lachte laut, und keiner unterschrieb einen Vertrag. Ach, es war ein schöner Tag! Jedenfalls für Gertrud und mich, der Matratzenheini war nicht ganz so zufrieden. Hihi.

Vor der Rückfahrt gab es noch ein kleines Theater, weil einige Mitfahrer tatsächlich glaubten, sie würden die zugesagten Gewinne bekommen. Versprochen waren für jeden Teilnehmer 800 Euro in bar und ein Elektrofahrrad. Da muss man schon ganz schön gutgläubig sein, wenn man auf so was vertraut. Rechnen Se mal nach, bei etwa 80 Personen im Reisebus, wie viel Bargeld das ist! Das wäre ja unverantwortlich, man stelle sich vor, wir würden auf der Raststätte überfallen. Und dann das Elektrofahrrad: Wie sollen denn 80 Fahrräder in den Bus passen?

Ich hüpfte aus meinem Sitz hoch und schreckte aus meinen Erinnerungen auf, als der Bus durch ein Schlagloch fuhr. Es lief gerade zum zweiten Mal Franziskas Kassette mit dem Bergziegen-Gefiedel durch, als sie endlich verkündete, dass wir nun am Ziel waren. Vom Busfenster aus sah es zwar genauso aus wie seit zwei Stunden, aber bitte. Es war Mittag geworden, und bevor wir ausstiegen, rieben Gertrud und ich uns noch mit Sonnenschutz ein.

Man unterschätzt die Sonne ja doch immer wieder.

Selbst wenn man sich nicht direkt zum Braten auf die Liege legt, staunt man abends, wie es brizzelt auf der Haut. Dem wollte ich vorbeugen, eine Renate Bergmann denkt an alles und bereitet sich vor! Ich hatte in der Drogerie eine Sonnenmilch gekauft, und bevor Gertrud und ich hier durch die brütende Mittagshitze flanierten, bestand ich darauf, dass wir uns tüchtig damit einschmierten. In unserem Alter geht es nicht mehr darum, dass wir frisch und knackig bleiben – die Zeiten sind wohl vorbei! –, aber ein Sonnenbrand muss auch nicht sein.

Gertrud und ich schmierten uns gründlich ein, wohl bald die halbe Flasche wurde leer. Man staunt doch, wie viel in den Runzeln versickert. Gesicht, Arme, Dekolleté und Nacken, überall trugen wir reichlich aus der braunen Flasche auf. Gertrud knöpft ja gern tief, deshalb betupfte sie sich bis bald zum Bauchnabel runter mit der Loschn. Die Beine zeigt man in unserem Alter nicht mehr, da tat es nicht not, sich die auch noch einzuschmieren – außerdem komme ich da auch gar nicht mehr so gut runter, trotz Gymnastik und Aquaturnen. Deshalb tragen wir alten Damen auch gern Schuhe mit Klettverschluss. Wenn Se eine Oma mit beigefarbenem Schuhwerk mit Klettverschluss sehen, wissen Se: Die hat nicht vergessen, wie man schnürt, die kann sich nur nicht mehr gut bücken!

Gut eingeschmiert zogen wir noch unsere Sonnenbrillen auf und spazierten los mit Kathrin. Die hatte ihre eigene Sonnenmilch, ein Spray. Diese Friseusen kommen ja immer an Pröbchen ran, die sie nicht bezahlen müssen. Ach, es war herrlich! Obwohl wir so lange gefahren waren, konnten wir immer noch das Meer sehen. Ich verstand beim besten Willen nicht, warum die Fahrt zwei Stunden gedauert hatte. Ab und an kam ein Schwarm Möwen vorbei, die uns aber nicht bekäckerten, da passten wir auf, und es roch nach Meer und frischer Brise. Ganz anders als der Toilettenstein, auch wenn der ebenfalls «Meeresbrise» heißt.

Das Fräulein Hostess winkte uns nach und sagte: «Frau Potter, Frau Bergmann, wie ich sehe, genießen Sie die Sonne und die schöne Luft? Sie haben ja schon kräftig Farbe bekommen, passen Sie bloß auf! Die Sonne ist stärker, als man denkt ...» Ich hörte gar nicht mehr hin. So ein jungsches Ding, und die will mir erklären, dass ich mich einschmieren soll!

«Sie könnten in der Borddrogerie selbstverständlich ...», rief sie uns noch nach, doch ich lächelte und ging weiter. Weiß die doch nicht, ob ich schwerhörig bin oder nicht? Gertrud mit ihrem Trödeltrupp-Hörrohr bekam hingegen wirklich nichts mit. Das könnte der Hostessendame so passen, das überteuerte Zeug auf dem Schiff kauften wir bestimmt nicht! Man muss so aufpassen heutzutage, die nehmen einem das Geld ab, wo sie nur können, wenn man es nicht zusammenhält. Ich kaufe den Kaffee schließlich auch nicht an der Tankstelle, wo er bald das Doppelte kostet.

Kathrin war ganz aufgeregt, sie freute sich so, uns die Insel zeigen zu können! Schon zückte sie ihren Reiseführer und las laut vor. «Kreta ist die größte Insel Griechenlands», fing sie an zu dozieren. «Die Insel hat einen einzigartigen Charakter. Jeder Stein ist hier ein Denkmal, jeder Winkel eine ruhmreiche Seite der Geschichte …»

Mir schwante Schlimmes. Dem musste ich gleich Einhalt gebieten! «Kathrin, mein Mädelchen», sagte ich und tätschelte ihre Hand, «die Frau Potter und ich sind alte Damen. Bitte, lass es ruhig angehen und hetz uns nicht.» Wissen Se, vielleicht bleiben uns noch eine Handvoll Jahre. Die müssen wir nicht damit verbringen, die Geschichte jeder Ruine aus einem Reiseführer vorgelesen zu bekommen. Kathrin steckte ihr Büchlein ein bisschen enttäuscht weg und lächelte tapfer. Sie hatte sich offenbar gut vorbereitet, während Gertrud alles, was sie über Kreta wusste, aus dem zweiten Teil von «Sissi» gelernt hatte. Oder war es aus dem dritten?

«Wir machen uns einen schönen Nachmittag und bummeln rum, und was du über Kreta weißt, das erzählst du der Frau Gläser, wenn wir dich besuchen.» Das würde Ilses altes Lehrerinnenherz beglücken, da war ich sicher.

So trotteten wir ein bisschen durch das Zentrum einer Stadt, deren Namen wieder so lang und unaussprechlich war, dass ich es mir nicht gemerkt habe. Das Katerle hatte mal Flöhe, und als der Viehdoktor ihn einstäubte, murmelte er einen Fachbegriff, der so ähnlich klang. Wir beguckten einen Palast, eine Tempelanlage und sonstige Reste von Steinmauern. Die Sonne brannte ganz schön, wissen Se, mir stand der Sinn schon recht bald eher nach einem schattigen Plätzchen als nach weiteren Kruken und Scherben.

Kaum, dass wir uns an einem kleinen Tischchen in dem

reizenden Café hingesetzt und ein Glas Selters hatten und die Sonnenbrillen abnahmen, erschraken wir: Wir sahen aus wie zwei mokkabraune Omas! Nur um die Augen waren wir weiß, weil wir die entsprechend der Anweisung auf dem Sonnenmilchfläschchen ausgespart hatten.

«Renate, du siehst aus wie die Mutter vom Obama!», sagte Gertrud kichernd und suchte nach der Flasche mit der Sonnenm... SELBSTBRÄUNER stand da groß auf der Packung. Ach du lieber Schreck! Die stellen das Zeug aber auch direkt nebeneinander. Verkäuferinnen, die einen bedienen, gibt es auch nicht mehr. Dann passiert so was eben mal. Der Schreck war groß, und wir schrubbten uns in der wirklich sehr kleinen Badestube des Cafés mit ganz heißem Wasser und Kernseife das Schlimmste von der Bräune vom Leib. Auf dem Fläschchen stand, dass es nach ein paar Tagen wieder von selbst verblasst. Das beruhigte mich. Trotzdem ärgerten wir uns, dass wir rot geschrubbt nun aussahen, als hätten wir uns wirklich einen Sonnenbrand geholt. Ich hörte die Franziska schon flöten: «Ich habe Sie doch gewarnt, Frau Bergmann!»

Als wir wieder an den Tisch kamen, konnte Kathrin sich das Kichern nicht verkneifen, und wir stimmten mit ein. Sie lachte lauthals und herzlich. «So habe ich ewig nicht gelacht, das tat richtig gut, Frau Bergmann», sagte sie, und ich spürte, dass da einiges auf ihrer Seele lag, was sie bedrückte.

Kathrin wollte uns unbedingt noch eine Bucht und eine Lagune mit einem Palmenhain zeigen, aber da hätte man über 450 Stufen zu einem Kloster hochsteigen und später über eine unbefestigte Schotterstraße gehen müssen. Das war ein bisschen viel verlangt, wissen Se, von oben brannte der Planet, und Gertrud und ich sahen aus wie zwei schrumpelige Mokkabohnen mit Sonnenhut. Wir bummelten stattdessen noch ein kleines Stück die Straße entlang und kauften Souvenirs. Überall gab es Olivenöl. Mir schmeckt das zwar nicht – ich finde, das ist tranig! –, aber die jungen Leute mögen ja solchen Schnickschnack, erst recht, wenn es in schicken kleinen Fläschchen abgefüllt ist. Wir kauften auch Zwiebelzöpfe und Schilli als Mitbringsel. Honig und selbstgetöpferte Kruken hatten sie auch im Angebot, aber ich war mit den Salzteigklunkern von Kathrin so reichlich beschenkt, dass ich davon noch abgeben konnte. Gertrud kaufte ein weiteres Kuscheltier für Norbert, eine dicke Stoffpuppe, die der Frau Berber so ähnlich sah, dass ich Angst um sie bekam. Lassen Se se ein schluderiges Ding sein, das ein unstetes Leben führt, aber dass Norbert sie anfällt und Küsschen gibt, hat sie auch nicht verdient. Am Ende verwechselt er sie noch mit dem Schmusetier?

Die Rückfahrt mit dem Bus dauerte nicht mal eine Stunde, was keiner erklären konnte, aber uns kam das sehr entgegen. So blieb uns noch ein bisschen mehr Zeit, uns in der Kabine die braune Farbe von der Haut zu schrubben. Es gelang leidlich. Nach dem Abendbrot lud uns Kathrin noch in eine Bar auf dem Traumschiff ein. Ich bin ja nicht der süße Typ, ich habe ein bisschen Zucker, und wenn ich mal einen trinke, dann einen Ko… aber das wissen Se ja.

Hier gab es lauter buntes Zeug, und ich dachte, wir machen «Trinken nach Farben».

Cocktails sind im Grunde Smufies mit Schnaps drin. Und da Smufies Obst sind und Obst gesund, na ja, da haben wir ... aber ich sage Ihnen: Trinken Se das Zeug vorsichtig. Es ist wie mit Bowle, man schmeckt den Schnaps nicht und ist schneller dune, als einem lieb ist. Ich will das hier nicht ... wissen Se, ich habe Gertrud und auch Kathrin versprochen, dass das unter uns bleibt, was an dem Abend geschah. Gertrud konnte ihren Kater am nächsten Tag gut als Rückfall ausgeben, und alle glaubten ihr, dass sie wieder seekrank war. Und dass Kathrin dem Kellner beim Tanzen das Hemd vom Leib riss, na meine Güte, wir waren alle schon mal auf einer Frauentagsfeier, auf der ein Schtripper kam, oder? Der stellte sich aber auch an! Und was «Nimm mich jetzt, nimm mich hier!» bedeutete, hatte der sowieso nicht verstanden, er konnte kein Deutsch.

❊

Nicht nur auf dem Sonnendeck, nein, überall auf dem Schiff gab es Schwimmingspools. Herrlich. Wissen Se, ich bin ja eine regelrechte Wasserratte. Schon Mutter hat immer gesagt: «Die Renate, die hat der Delfin im Sprung verloren.» Als ich ein kleines Mädchen war, das können Se sich denken, da war nicht oft Gelegenheit zum Badespaß. Vater war im Krieg geblieben, das Land lag in Schutt und Asche, und Mutter hatte von Sonnenaufgang bis spät in die Nacht zu tun, meinen Bruder und mich satt zu bekommen. Da stand ein Strandbesuch nun wirklich nicht ganz oben auf der Liste. Sie schuftete im Stall und auf dem Feld, und an den Sonntagen regnete es meist.

Im Sommer war ich in jeder freien Minute an der Zinkwanne auf dem Hof zugange und habe die Enten, Gänse und sogar den Hofhund vollgespritzt. Oma Strelemann hat immer «Renate, der kleine Wirbelwind» zu mir gesagt. Wasser war mein Element. Später, in der Schulzeit, sind wir oft an den Waldsee rausgeradelt, gleich wenn der Kanter uns am Mittag hat gehen lassen. Ilse war aus besserem Hause, und ihre Eltern hatten sogar ein Fahrrad über den Krieg gebracht. Da saß ich auf dem Gepäckträger, während Ilse in die Pedalen trat. Wie oft fielen wir um, weil sie zu vorsichtig und langsam fuhr! Ilse war damals schon sehr ängstlich. Sie saß am See meist im Schatten und rief, dass ich nicht so weit rausschwimmen und mit den Jungs toben solle. Damals, mit 13 oder 14, dachte man noch, von so was wird man schwanger.

Lachen Se nicht, das dachten wir alle! Wir waren doch nicht aufgeklärt. Damals gab es keine Zeitungen, in denen sich die Nackten rekelten. Und was meinen Se, was die Eltern uns für Gruselgeschichten über die Jungen erzählt haben … Sie machen sich kein Bild. Ilse glaubte, bis wir 17 waren, dass sie vom Küssen ein Kind bekommt, und als Kurt ihr das erste Bützchen auf die Wange gegeben hat, da rannte sie weinend zu ihrer Mutter und beichtete schluchzend: «Mutti, du wirst Großmutter!»

Aber ich wollte ja erzählen, was für eine Wasserratte ich bin … Moment, ich lese noch mal nach. Habe ich schon gemacht. Das langt. Sie wissen, was ich meine, nich wahr?

So blieb das auch mein ganzes Leben. Ich war immer in der Betriebssportgruppe «SV Haubentaucher Eisenbahn Berlin». Mindestens ein Mal die Woche habe ich meine Bahnen gezogen mit den Kollegen – selbstverständlich nach Feierabend. Im Urlaub zog es mich, sooft es ging, an die See. Wenn wir keinen Ostseeplatz bekamen, was ja schwierig war, fuhren wir an die Müritz, und wenn selbst das nicht ging und wir zum Wandern in den Thüringer Wald mussten, dann hatte ich auch da meinen Badeanzug dabei und fand einen schönen Bergsee oder eine Badeanstalt, in der ich meine Runden drehte und das kühle Nass genoss.

Seit ich Rentner bin, schwimme ich mit meiner Seniorengruppe. Immer am Freitagnachmittag gehen wir ins Volksbad, da ist Seniorenschwimmen. Ach, herrlich ist das. Der Schwimmmeister dreht uns das Wasser ein bisschen wärmer, schließlich will man sich keine blauen Lippen holen oder gar eine Erkältung. Wir sind eine Gruppe von 18 Frauen und sechs Männern. Ja, so ist das eben in unserer Generation, die Herren machen sich früher in die Grube oder sind Sesselpuper, und dann treiben wir Frauen in der Überzahl durch das Wasser.

Ilse, Kurt und ich machen auch immer bei der Aquagymnastik mit. Es ist gar nicht so leicht, einen Platz im Kurs zu bekommen, und das, wo Fräulein Tanja, die Kursleiterin, so streng ist. Die lässt uns nichts durchgehen und schimpft einen laut und vor der ganzen Gruppe aus, wenn man mal falsch mit den Armen fuchtelt. Sobald man nicht richtig nachturnt, was sie am Beckenrand zeigt, schreit sie, dass man sich schlimme Verspannungen oder sogar einen Muskelriss holt und dass wir besser aufpassen müssen. Sie ist auch nicht sehr höflich und sagt freche Sachen über uns. Sie zählt uns am Anfang der Stunde, wenn wir gerade ins Wasser gestiegen sind. Einmal hat sie gesagt: «18 Blumenkohlköpfe und sechs Melonen, alle da.» Unverschämt ist das. UNVERSCHÄMT! Aber was lässt man sich nicht alles gefallen, schließlich will man gesund bleiben.

Auf dem Schiff gab es wie gesagt ganz viele Schwimmingspools. Am beliebtesten war der oben auf dem Sonnendeck, da hatte man fast gar keine Schangse, eine Liege zu bekommen. Herbert, unser Tischnachbar, scheuchte seine Gittl jeden Morgen schon in aller Herrgottsfrühe raus, und sie musste für die beiden mit einem Handtuch zwei Liegen reservieren. Herbert musste wegen seiner schwachen Prostata meist um vier, halb fünf austreten, und da weckte er die Gittl und schickte sie mit den Handtüchern hoch. Als er das abends bei Tisch erzählte, horchte ich gleich auf, und ein Gläschen Wein später war es abgemacht: Gittl reservierte für Gertrud und mich am nächsten Morgen zwei Liegen mit. «Für die Frau Doktor mache ich das doch gern», strahlte Gittl, und Gertrud lächelte hoheitsvoll.

Wir sind nach dem Frühstück zum Schwimmbecken gegangen. Wissen Se, der Landgang startete an dem Tag erst um halb elf. HALB ELF! Was soll man denn nach dem Frühstück um sieben so lange machen? Das war doch tote Zeit! Aber die guckten nur nach den Langschläfern und richteten sich nach denen. Das störte mich aber gar nicht, denn wir nutzten die Zeit zum Schwimmen.

Ach, herrlich erfrischend war das. Wir hatten unsere Liegen direkt neben Gittl und Herbert. So früh am Morgen brannte die Sonne noch nicht so, und die meisten Leute saßen sowieso beim Frühstück, deshalb war nicht viel los. Wenn nur die Kinder nicht gewesen wären! Sie kennen mich ja nun schon ein bisschen und wissen, dass es mit Kindern und mir so eine Sache ist. Ich habe nichts gegen Kinder, im Gegenteil! Die kleinen Engelchen brauchen alle Unterstützung und Liebe, die man ihnen nur geben kann. Aber sie sollen sich bitte schön auch ein bisschen benehmen und nicht so toben. Und nicht singen. Dem Himmel sei Dank war mit Gesang an Bord nicht zu rechnen. Fräulein Franzi hatte ich anfangs schon in Verdacht, dass sie wohl einen Chor aus den Kleinen zusammenstellt und mit denen mit der Pauke von Backbord bis Steuerbord über den Dampfer zieht, aber die war komplett damit ausgelastet, uns zu zählen und auf ihren Listen auf dem Klemmbrett abzuhaken. Darüber hinaus hielt ich sie mit kleinen Meckereien über die Sauberkeit, die Landausflüge und über das Essen auf Trab. Im Grunde war alles tipptopp, aber ich hatte eben irgendwie das Gefühl, dass sie von Kirsten den Auftrag hatte, ein Auge auf Gertrud und mich zu haben. Da war es besser, wenn sie beschäftigt war. Hihi.

Am Schwimmingspool konnte man Sachen sehen! Ich war ganz verstört, sage ich Ihnen. Wissen Se, daheim bei der Aquagymnastik sind wir Alten unter uns, und da gibt es nichts zu sehen, was nicht jeder auch selber hat. Selbst Gertrud sieht seit ein paar Jahren davon ab, einen Zweiteiler zu tragen. Ich habe ihr einfach im Televerkaufsfernsehen einen Badeanzug bestellt und ihren Bikini in die Mission gegeben. Dunkelblau, geblümt und so geschnitten, dass er nicht nur den Bauch gut einpackt, sondern auch im Schritt so sitzt, dass der Hintern bedeckt ist. In unserem Alter trägt man keine Bikinis, das hat selbst Gertrud eingesehen. Die jungen Dinger hingegen … mir fehlen bestimmt nicht oft die Worte, aber da war ich baff! Wenn alles frisch und an seinem Platz ist, dann darf man sich auch zeigen. Ich bin weiß Gott nicht prüde. Aber wenn man etwas üppiger und ausladender gewachsen ist wie eine Blutwurst im Naturdarm, dann frage ich mich, ob man nicht lieber etwas bedeckter geht.

Ich habe die Sonnenbrille tief ins Gesicht gezogen und leise mit Gertrud getuschelt. Wir fragten uns, ob die Damen keinen Spiegel zu Hause haben oder woher die das Selbstbewusstsein nahmen, so rumzulaufen. Eine Frau mit wirklich üppigem Bauch, die wie selbstverständlich einen Bikini trug, schob ihre Röllchen hoch und zeigte einer offensichtlich wildfremden anderen jungen Dame ihre Gürtelrose. Ich erschrak! So was ist doch nicht nur schmerzhaft, sondern auch in höchstem Maße ansteckend! Die brachte uns alle in Gefahr hier …

Gertrud half mir prompt aus der Liege hoch, und zusammen sind wir zum Fräulein Franzi, um das zu melden. Es stellte sich jedoch raus, dass es keine Gürtelrose war, sondern ein Tatu, das durch die Gewichtszunahme so aus der Form geraten war, dass es nun wie ein unförmiges Gewucher erschien. Und das Eisen am Bauchnabel war auch keine Kanüle zur Notversorgung, sondern ein Pierzing, denken Se sich das mal. Ich bitte Sie!

Bevor Se nun böse werden und denken, ich hätte was gegen dicke Frauen – mitnichten! Aber Sie müssen doch zugeben, dass das nicht ästhetisch ist, was ich Ihnen beschrieben habe. Und es sind auch nicht nur die Frauen … was die Männer an Bauch vor sich herschieben, man glaubt es kaum. Den Sonnenschirm konnte man sich prima sparen, wenn nur ein paar von den Herren als Schattenspender in der Nähe waren. Manche hätten sich sogar die Badehose sparen können, die Bäuche hingen so tief, dass sie die Familienjuwelen gut bedeckten. Mein Fall ist das nicht, ganz egal, ob Se mich nun für eine verschämte alte Tante halten. Ich sage immer: «Ich zeige mich nur so, wie ich auch andere gern sehen würde.»

Jetzt habe ich mir aber genug den Mund verbrannt, lassen Se mich weitererzählen. Jedenfalls tobten da in den frühen Morgenstunden die Kinder im Wasser rum, es war kaum auszuhalten. Ohne Aufsicht! Die Muttis und Vatis saßen ewig beim Frühstück oder lagen noch in den Betten, sie hatten schließlich Urlaub. Das musste man schon verstehen, aber derweil die sich einen Lenz machten, spritzten die Blagen am Schwimmingspool alles voll, tobten mit ihrer Spaßbanane und kreischten laut. Es machte auch ganz unanständige Geräusche, wenn die kleine Ophelia-Lücill auf ihrem Gummitier rumrutschte. Ich guckte erst Gertrud einige Male mahnend an, aber ihre Verdauung war völlig in Ordnung. Einer der Bengels hatte sogar ein Wassergewehr, mit dem er doch tatsächlich Gertrud in den Ausschnitt nässte?! Es war ungeheuerlich. Die rannten mit ihren nassen Füßen direkt aus dem Wasser, ohne Badelatschen! Man weiß doch, wie schnell man sich Fußpilz holt.

Da können Se mal sehen, wie widersprüchlich das alles war. Die Hände sollten wir alle paar Minuten mit Dessispray einreiben, damit wir keinen Durchfall kriegten. Da kam Fräulein Franzi fast mit der Sprayflasche auf die Toilette hinterher. Aber wenn es um Fußpilz ging, war denen alles egal. Es ist doch viel hygienischer, rasch in Badelatschen zu schlüpfen! Und so schwer ist es auch für ein Kind nicht. Gittl und Herbert störte es gar nicht, wissen Se, Herbert tobte sogar noch mit den Kindern und stachelte sie an!

«Der Herbert ist reineweg verrückt nach Kindern, Renate», erklärte mir Gittl. «Was meinst du, was bei uns bei den Familienfesten immer los ist, wenn die Enkel und Urenkel da sind? Die gehen über Tisch und Bänke. Wenn die Kleinen kommen, sind das Sonnentage für Herbert.»

Unterstützung war auch von Gertrud nicht zu erwarten, die nur kichernd «Huch! Jetzt macht Tante Potter nicht nass, sonst spritzt sie zurück» rief. Das wollten die Bälger doch bloß! Und auch Gittl und Herbert waren aufseiten der Kinder. Also musste ich allein für Ruhe sorgen.

«Entschuldigt mich, ich habe was auf dem Zimmer vergessen», flunkerte ich und ging zur Bar. Die hatten immer auch Schockoriegel und andere Kleinigkeiten zu naschen, falls es einer nicht bis zur nächsten Mahlzeit aushielt.

Kennen Se noch die Dinger, die so leicht sind, dass sie angeblich in Milch schwimmen? Sie schwimmen sogar in Chlorwasser! Und man sieht auch nicht von weitem, dass es ein Schockoriegel ist, sondern denkt, jemand hat Groß gemacht. Sie können sich das Geschrei gar nicht vorstellen, was das auf einmal gab. Gittl und Herbert verschwanden in ihre Kabine, um sich zu duschen, und von allen Seiten kamen Muttis angerannt, die die Hosen ihrer Kleinen kontrollierten und sich gegenseitig versicherten, dass ihr Kind das nicht war. Nach kaum zehn Minuten war Ruhe, und Gertrud und ich hatten den Schwimmingspool für uns. Ich packte den Schockoriegel gut ein, wer weiß, vielleicht würden wir den noch mal brauchen. Wir zogen gemütlich unsere Bahnen und machten uns ausgehfein für den Landausflug.

Wie herrlich erfrischend so ein Bad doch ist!

Seit Norbert dem Postboten immer Küsschen geben will, muss Gertrud ständig zur Post und ihre Päckchen da abholen.

Auf unserem nächsten Landausflug – ich glaube, es war in Kroatien, aber bitte, nageln Se mich nicht darauf fest, es kann auch sein, ich irre mich – konnte ich Gertrud nur mit Mühe und Not davon abhalten, eine Katze aufzulesen und mit auf den Pott zu nehmen. Ich darf gar nicht daran denken, es war haarscharf!

Wir promenierten durch den Ort, der aus 17 Buchstaben bestand, von denen zwölf R und K waren. Krkukrricakrrkvrk oder so. Vielleicht hatte auch nur der Lautsprecher geknarzt, als der Herr Kapitän Holm-Bertelsen es durchsagte, aber es ist auch nicht so wichtig. Die hatten einen schönen Markt da mit bunten Schirmen über den Ständen. Man konnte Sonnenbrillen, Turnschuhe und Nachthemden kaufen, fast wie bei uns in Spandau vor der Kaufhalle. Aber es wurde auch Fisch feilgeboten und Schlachtabfälle. Lammaugen und Hühnerfüße, man mochte gar nicht hinschauen. Die Sprotten waren in der Auslage hübsch in der Sonne drapiert. Der Verkäufer scheuchte ab und an die purpurfarbenen Fliegen von ihnen runter, und irgendwie hatte ich nicht so rechten Appetit darauf, auch wenn sie geräuchert waren. Da hätte es auch nichts mehr genützt, sich die Hände zu desinfizieren, sach ich Ihnen!

Am Ende des Marktes maunzte herzzerreißend ein grau getigertes Kätzchen. Gertrud spitzte die Ohren und marschierte schnurstracks auf die Muschi zu. Mir schwante schon, was kommen würde, als Gertrud runter auf die Knie ging. Sie hat so schlimm Arthrose, trotz Wassergymnastik und Tabletten. Sie bückt sich nur, wenn sie einen guten Grund hat, und wenn sie schon mal unten ist, überlegt sie gründlich, was man da nicht gleich alles mit erledigen könnte. Als sie die Mieze sah, war es um sie geschehen. Ihre Stimme ging gleich zwei Stufen hoch, und sie fiepte so merkwürdige Laute. «Puschifününü süüüüüüß», war alles, was ich verstand. Ehe ich überhaupt gucken konnte, war Gertrud die Katze schon am Streicheln. Und das, wo sie nicht geimpft war!

«Gertrud, mach bloß vorsichtig!», rief ich ihr aus sicherer Entfernung zu. «Wenn die dich kratzt, kriegst du Tüfuß oder Tollwut oder weiß der Himmel nicht noch was alles. Guck dir das Viech doch mal an, die ist ja ganz verkommen!» Sie war fürchterlich verfilzt und ungepflegt. Gertrud hörte jedoch gar nicht zu und unterhielt sich mit der Katze. Die fasste sofort Vertrauen und ließ sich streicheln, es war Liebe auf den ersten Blick.

«Guck doch mal, Renate, sie ist ganz ausgehungert und abgemagert. Hilf mir mal hoch, wir müssen ihr ein Schälchen Milch besorgen.»

Gertrud kann kein Wort Kroatisch und auf Englisch nur «Sänk Ju», «Häppi Birsdäi» und «San of a Bitch», aber sie kam nach ein paar Minuten mit einer Flasche Katzenmilch, einer Babybürste und einer Tüte Katzenstreu aus dem Teppichladen, der da auf der Ecke war. Fragen Se mich nicht, wie sie das gemacht hat.

«Gertrud. Das kann nicht dein Ernst sein. DAS KOMMT ÜBERHAUPT NICHT IN FRAGE. Die Katze bleibt hier!», nahm ich sofort klar Stellung. Wenn man bei Gertrud nicht von Anfang an deutlich sagt, wo es langgeht, kommt man in Teufels Küche.

«Aber Renate. Das kannst du doch nicht übers Herz bringen! Schau mal, wie niedlich sie guckt!» Gertrud streichelte das Kätzchen und beruhigte es. Die Kleine schnurrte vor Vergnügen, und Gertrud guckte mich mit herzzerreißendem Blick an.

«Nun sei doch mal vernünftig, Gertrud. Der alte Herr dahinten am Fischstand guckt auch sehr niedlich, und den nimmst du auch nicht mit nach Hause!»

«Woher willst du denn wissen, was heute noch passiert?», entgegnete sie mir.

Wissen Se, da war ich perplex.

Gertrud bürstete das Kätzchen, während es gierig seine Milch schleckte. Sie hob ihren Schwanz hoch und kontrollierte, ob … also, Sie wissen schon, ob es wirklich eine Muschi war.

«Es ist ein Mädchen!», rief sie. «Ich werde sie Mandy nennen.»

«GERTRUD!»

«Nein, nicht Gertrud. Mandy.»

Ich begann zu verzweifeln. «Die Katze bleibt hier! Die hat Würmer, und meinst du, die kommt, wenn du sie rufst? Die ist Kroatin, die versteht kein Deutsch!», versuchte ich sie zu überzeugen, aber ich merkte selber schnell, dass das keinen Sinn hatte. Norbert, ihr Doberschnauzer, ist nachweislich in Wanne-Eickel geboren und versteht trotzdem nichts, obwohl Gertrud immer behauptet: «Der hört aufs Wort.» Sie hat eben nur noch nicht rausgefunden, auf welches …

«Und was ist mit Norbert? Du hast einen Hund, der so groß ist wie ein Kalb. Der verspeist deine Mandy mit zwei Bissen zum Frühstück.»

Ich übertrieb nicht. Norbert ist riesig. Er hört einfach nicht auf zu wachsen. Wenigstens ist er ein richtiger Hund und wird nicht von der Kehrmaschine aufgewischt wie die kleine Fußhupe von Frau Grönefeld. Das war eine Aufregung! Auf allen vieren hat sie mit dem Fahrer vor dem Fegefahrzeug gekniet, ganz vorsichtig mussten sie ihn am Halsband wieder rausziehen. Zumindest war der Kläffer danach zum ersten Mal sauber … nee, so was kann mit Norbert nicht passieren. Da hätte eher die Kehrmaschine eine Beule, wenn der im Weg stünde.

Norbert war während des Urlaubs bei Gunter geblieben. Man kann den Hund ja nicht so lange allein lassen und Gunter im Grunde auch nicht. Das war schon ganz gut, dass die beiden sich hatten. Gertrud fiel die Trennung von Norbert schwerer als die von Gunter. Ich weiß nicht, ob einem das nicht zu denken geben sollte … Es ist ja schön, dass sie an dem Hund hängt, aber trotzdem. Um Gunter weinte sie keine Träne. Fragen Se mich nicht, was das mit den beiden ist! Für Norbert kaufte sie auf jedem Landgang ein Kuscheltier als Reisesouvenir, von Gunter war nie die Rede. Fehlte nur noch, dass sie Norbert eine Postkarte schrieb.

An Norberts Reisetasche hatte sie fast länger gepackt als an ihrer eigenen. Seine Kuscheltiere mussten mit zu Gunter, seine weiche Bürste, mit dem sie ihm jeden Abend das Fell massiert, und auch das Fellaufbaushampoo. Norbert wird nämlich zweimal die Woche gebadet, müssen Se wissen. Er soll im nächsten Jahr die Hündin von Galeskes decken. Da will Gertrud, dass er hübsch aussieht für die Hundedame, und wäscht ihn mit der Glanzwäsche. Ich glaube zwar nicht, dass Gunter den Hund auch nur ein Mal gebadet hat, seit wir weg waren, aber er kümmerte sich bestimmt trotzdem rührend, eben auf seine Weise. Gunter hat sogar so ein Bullauge aus einer alten Waschmaschine in seine Hoftür montiert, damit Norbert rausgucken kann und mitkriegt, was auf der Straße so los ist. Wenn Se mich fragen, war der Hund nur ein Vorwand, und Gunter hat das Guckauge eigentlich eingebaut, weil er selber neugierig wie ein olles Waschweib ist. Aber soll er, mich geht es nichts an. Und wie er sich immer um den Hund bemühte, das war wirklich schön, da konnte sich Gertrud zu hundert Prozent auf ihn verlassen und ohne Sorgen reisen.

«Das ist gar nicht gesagt, dass Norbert die Mandy nicht leiden kann», riss mich Gertrud aus meinen Gedanken. «Hund und Katze verstehen sich sehr oft besser, als man denkt. Ich habe da letzthin im ‹Superecho der goldenen Frau› eine Geschichte gelesen …»

Mittlerweile wurde es allerhöchste Zeit, zum Schiff

zurückzugehen. Ich wollte nicht, dass der Dampfer ohne uns weiterfuhr. Das fehlte noch! Wo Franziska uns doch so gewissenhaft gezählt hatte.

«Man darf auch gar keine Katzen mit an Bord nehmen, Gertrud!», zog ich meine letzte Trumpfkarte.

«Das stimmt nicht, Renate. Da sind mehrere Damen mit Katzen und auch Hunde! Hast du das Hundedeck nicht gesehen? Überall Hydranten und künstliche Straßenlaternen, damit die Köterchen pischern können.»

Das stimmte tatsächlich. Es gibt ja nichts, was es nicht gibt, und glauben Se es oder nicht, es waren wirklich Hunde an Bord. Dem Himmel sei Dank hatte Gertrud das nicht vorher gewusst. Wenn sie davon Wind bekommen hätte, hätte sie Norbert mit Sicherheit mitnehmen wollen! Das hätte mir noch gefehlt, das schnarchende, sabbernde Tier in der Besucherritze zwischen mir und Gertrud.

«Hunde sind auch erlaubt, da soll mir keiner kommen wegen der niedlichen kleinen Katze ... mulle-mulle-mulle!»

Gertrud war nicht davon abzubringen. Wissen Se, ich bin bestimmt ein tierlieber Mensch. Ich habe selbst ein Katerle zu Hause, und wenn so ein Viechlein maunzt, dann schmilzt auch mein Herz. Aber man muss vernünftig sein und an die Vorschriften denken. Die würden doch kein wildes, ungeimpftes Tier auf den Dampfer lassen, selbst wenn sie Gertrud für die «Frau Doktor aus Spandau» hielten und sie Sonderrechte hatte.

Ich sprach ein Machtwort. «Das Tier hat Flöhe, keinen Impfausweis, und die mitreisenden Hunde waren alle vorher in Quarantäne. Du lässt jetzt das Kätzchen und kommst!», sagte ich laut und bestimmt. Gertrud schien nicht beeindruckt. Da witterte ich meine Schangse, als ein kleiner Junge an uns vorbeikam. «Sieh nur», rief ich, «der Bub sucht sein Kätzchen, es ist ihm weggelaufen!»

Ich drückte dem verdatterten Kind die Milch und die Bürste in die Hand, legte ihm das Kätzchen auf den Arm und schob ihn fort. Dem Himmel sei Dank verstand der kein Wort. Gertrud schaute ihm traurig nach, und ich musste alle Tricks anwenden, um sie abzulenken. «Die Hostess hat erzählt, dass heute Sascha Hehn auf den Kahn kommt. Da wollen wir doch wohl in der ersten Reihe an der Reling stehen, oder? Komm, Gertrud!»

Tja, die paar Hormone, die Gertrud noch verblieben waren, waren stärker als ihre Tierliebe, und so trottete sie mir brav nach.

Das war gerade noch mal gutgegangen!

❊

Auch für Unterhaltung war auf dem Schiff gesorgt. Die hatten ein Angebot, da konnte man nur staunen. Jeden Abend lief was anderes, wir konnten es gar nicht schaffen, uns alles anzuschauen! Es gab Disco und Tanztee, einen ABBA-Abend und eine Kegelbahn und auch Lesungen. Überall wurden wir darauf aufmerksam gemacht, dass der Seemannschor aus Brekelbrück an Bord kommen und an einem exklusiven Abend die schönsten Seemannslieder zum Besten geben würde. Bestimmt hatten sie Sorge, dass da keiner kommen würde. Man kennt das doch, wenn sie so trommeln und überall Werbung machen, sitzt man nachher mit 20 Leutchen da. So war es auch, als Kurts Lieblingskapelle auf dem Stadtfest gespielt hat beim «Großen Festival der Blasorchester». Überall lagen vorher die Werbezettel, und beim Fleischer hing sogar ein Plakat im Fenster. Gebracht hat das alles nichts, denn am Ende saßen wir mit einem Häufchen älterer Herrschaften auf dem Marktplatz, und die Musikanten bliesen einsam vor sich hin.

Aber Gertrud und ich wollten den Seemannschor anhören, wissen Se, wenn man schon auf einer Kreuzfahrt ist und es schöne Musik über das Meer gibt – das muss man einfach miterleben! Ich ließ uns gleich auf die Reservierung schreiben von Franziska. Wenn es darum ging, Leute in Listen einzutragen, auszutragen oder abzuhaken, war sie immer freudig dabei. Sie wünschte uns viel Spaß.

Auch «Die große Musical-Schau» gab es nur an einem Abend, und zwar am Tag vor dem Höhepunkt, dem Kapitänsdinner. Selbstverständlich ließen Gertrud und ich uns auch hierfür auf die Liste setzen, wissen Se, das wollten wir uns auf gar keinen Fall entgehen lassen. Es sangen und tanzten nämlich die Besatzungsmitglieder, vom Fräulein Doktor über die Franziska bis hin zum Kapitän Holm-Bertelsen! Ich war ja sehr gespannt, ob der mehr konnte als das Wetter über den Lautsprecher durchsagen und auf den Fotos mit den Passagieren nett lächeln.

Man hätte auch noch Kochkurse machen können mit einem Sternekoch und Serviettenfalten mit den netten Zimmermädchen, aber das schaffte man ja alles gar nicht. Wissen Se, die bastelten einem jeden Tag ein anderes Tier aus den Handtüchern! Wenn wir in unsere Kabine kamen, waren wir schon immer ganz gespannt, was uns heute auf dem Bett sitzend erwartete – ein kleiner Pinguin, ein Krokodil oder ein Huhn. Genauso war es mit den Servietten bei Tisch, die falteten da Kunstwerke, dass man nur staunen konnte. Für alles gab es Kurse, aber wir waren schließlich im Urlaub und nicht auf einem Volkshochschulausflug.

Um den Kochkurs war es schade, auch wenn ich mir schon denken konnte, dass das wieder so gesunden Kram gegeben hätte. Man kennt das doch, die kochen mit Gewürzen, die kein Mensch aussprechen kann und die alle im Mund brennen und am Tag drauf noch mal, wenn man Groß muss. Und wenn man nur nach einem kleinen Stich Butter fragt, wird der Koch blass vor Entrüstung und muss in eine Tüte atmen, um sich wieder zu beruhigen. Die kochen alles ohne Fett, und wenn, dann nehmen sie höchstens Olivenöl. Das schmeckt aber tranig, das mag ich nicht. Ob das nun gesunde Fettsäure hat, die noch nicht satt ist oder nicht. Trotzdem hätte ich mir gern angeguckt, wie der Schiffskoch Fisch zubereitet. Eine Renate Bergmann lernt immer gern dazu und ist für alles Neue offen, sofern es kein Schweinkram ist.

Wir hatten straffes Programm, sage ich Ihnen! Tagsüber die Ausflüge, da ist man auch als rüstige Dame ganz schön müde hinterher. Das schlaucht ja doch. Wenn wir am frühen Abend wieder auf den Dampfer zurückkehrten, machten wir uns kurz frisch in der Kabine und zogen uns für das Abendessen um. Zum normalen Essen gingen Gertrud und ich nicht in ganz großer Garderobe. So eng sehen die das da nicht. Wenn man gediegen gekleidet war, langte das gut hin. Ich trug Bluse und Rock, Gertrud genoss ihre Rolle als «Frau Doktor aus Spandau» und kam immer in ihren weißen Hosen. Die Herren gingen meist in einer glatten Hose und mit Hemd, manche gar Polohemd mit offenem Kragen. Da sagte keiner was, nicht mal zu Bömmelmanns Aufzug mit Strandmontur.

Es geht ja heutzutage alles etwas legerer zu als noch in den achtziger Jahren auf dem «Traumschiff», nicht wahr? Das hatte sich offenbar noch nicht überall rumgesprochen, denn die Damen am Nebentisch erschienen IMMER in ganz großer Toilette. Die hatten tatsächlich Ballkleider und Stöckelschuhe an!

Sie kennen doch diese Verkäufer, die sind oft so unverschämt und sagen, selbst wenn man aussieht wie ein Tannenbaum, den sie durch den Trichter in das Netz gepresst haben, noch: «Das steht Ihnen ganz ausgezeichnet.» Die Frauen rechneten offenbar damit, dass hier Bambis verliehen wurden, es war jedenfalls sehr übertrieben. Auch ihre Parfümwolken, die bis zu unserer Tafel rüberwaberten. Wissen Se, ich nehme zwei Pffft-pffft vom guten Tosca hinter jedes Ohr, das langt. Die Damen badeten offenbar in ihren Duftwässerchen. Es war sehr aufdringlich!

❖

So gingen die Tage dahin, wissen Se, wenn man viel erlebt, verfliegt die Zeit ja nur so. Kaum hatten wir uns eingewöhnt, war auch schon die zweite Woche rum. Am Tag, an dem der bunte ABBA-Abend anstand, machten wir vorher noch einen Landausflug. In welchem Land wir mittlerweile waren, kann ich Ihnen gar nicht sagen, aber es sah so ähnlich aus wie beim letzten Mal. Ah doch, warten Se, Italien war's, denn da wurde man von allen auf der Straße mit Sinjora angesprochen.

Wir streiften durch die Altstadt und genossen den sonnigen Tag. Dem Gequassel des Reiseführers hörte ich schon lange nicht mehr zu, und da war ich nicht die Einzige. Das störte den aber gar nicht, er hörte sich selbst gern reden, und das langte ihm. Endlich erlöste er uns und gab bekannt, dass wir nun eine Stunde für uns hätten. Wir sollten pünktlich um Viertel vor drei (für die Wessis) beziehungsweise um drei viertel drei (für uns Ossis) wieder bei seinem Marienkäferschirm sein, den er hochhielt und wie wild schwenkte. Gertrud und ich wollten gar nicht weit weg, wissen Se, eine Stunde ist so schnell rum! Das ist keine lange Zeit. Wir sind beide nicht mehr gut zu Fuß, und ob wir nun noch 300 weitere Meter von der ollen zerbröselnden Stadtmauer anguckten oder nicht – das wäre nun auch kein Gewinn gewesen. Wir streiften die Straße entlang und hielten Ausschau nach einem gemütlichen Café.

«Renate!», rief Gertrud unvermittelt und so laut, als wäre ich noch auf dem Schiff. «Guck doch mal! Das müssen wir auch machen!»

Sie zeigte auf ein Geschäft, vor dem ein paar Leute saßen und ihre nackten Füße in Aquarien vor ihnen stecken hatten. Das hatte ich schon mal im Fernsehen gesehen, angeblich beißen die Fischis nicht, sondern knabbern nur die Hornhaut ab.

Ein junger Mann bemerkte unser Interesse und kam auf uns zugestürzt. Ich hielt gleich meine Handtasche fest, sicher ist sicher! «Pediküre Fisch! Sinjoras müssen probieren. Nicht viel kosten. Komme, komme!», und winkte uns heran. Es war wirklich nicht teuer.

«Recht haste, Gertrud. Den Spaß gönnen wir uns», stimmte ich nach kurzem Zögern zu.

Wir setzten uns auf ein Bänkchen und rollten die Strumpfhosen runter. Das Wasser war lauwarm, die Fische mochten es wohl so. Es kann auch sein, dass ich den jungen Mann falsch verstanden habe, wissen Se, nachdem der sein Geld hatte, war es vorbei mit der Freundlichkeit. Er brummte nur noch: «So, zähn Minute!», wandte sich ab und winkte die nächsten Sinjoras heran. Der Rubel musste rollen. Wobei, Rubel hatten die hier nicht, die nahmen auch Euro. Weil er so unfreundlich war, gab ich ihm aber die holländischen Münzen mit der Beatrix drauf. Die ist schon so lange nicht mehr Königin, da bin ich mir bis heute nicht sicher, ob die Münzen noch gelten, und gebe sie alsbald aus, wenn mir mal eine unterkommt.

Gertrud hatte die Füße als Erste im Wasser und quiekte los wie so eine olle Jungfer. «Huch! Huuuuuch, das kitzelt! Hihihihihi!» Sie lachte und kicherte, aber offenbar tat es nicht weh, und so steckte auch ich meine Füße in das Aquarium, und da kicherten wir beide. Ach, wie das killerte! Die Fische wuselten umher und nagten an den Zehen und am Hacken. Man gewöhnte sich recht schnell an das Knabbern, und nach wenigen Minuten war es sehr angenehm.

Bis in Gertruds Becken auf einmal Ruhe einkehrte. Ich lehnte mich herüber und sah, dass einige Fische mit dem Bauch nach oben auf dem Wasser trieben. Da fiel mir ein, dass Gertrud ja wegen ihrer Schweißfüße dieses Pilzspray nahm …

Gertrud hatte gar nichts gemerkt, die war damit beschäftigt, jedem Italiener zuzuzwinkern, der an uns vorbeiflanierte.

«Gertrud! Trockne dich schnell ab!», zischte ich ihr zu. Ich schöpfte rasch ein paar Fische aus meinem Becken und warf sie rüber in Gertruds, damit da überhaupt noch was zappelte, und dann machten wir uns aus dem Staub, die Strumpfhosen noch in der Hand. Der Lutschi (oder wie der hieß) überredete gerade zwei jüngere Frauen, sich die Füße beknabbern zu lassen, und schaute uns misstrauisch nach, aber da waren wir schon um die Ecke gesaust.

Du liebe Zeit, wie aufregend! Wir setzten uns in ein

Café, zogen zur Sicherheit unsere Sonnenbrillen auf, auch wenn es schattig war, und genehmigten uns auf den Schreck erst mal einen Grappa-Korn. So hieß das Zeug da, was soll man machen, man muss sich der Landessitte anpassen.

Von unserem Plätzchen aus hatten wir sogar den vereinbarten Treffpunkt im Blick und beobachteten, wie unsere Ausflugsgruppe nach und nach zum Bus zurückschlenderte. Wir zogen auf der Toilette im Café noch unsere Strumpfhosen an und schlenderten dann rüber zu den anderen. Franziska strich uns auf ihrer Liste ab. Mich wunderte, dass sie nicht schon eine Flasche Hygienespray rumreichte, damit wir uns grob die Hände einrubbelten.

Als Allerletzte – es war schon zehn vor drei! – kamen Gittl und Herbert. Sie stritten laut, denn Gittl war das Zuspätkommen peinlich. Franziska gab dem Busfahrer das Zeichen zur Abfahrt, und los ging unsere kurze Reise zurück zum Dampfer. Wir plauderten mit den Mitreisenden darüber, was alle denn unternommen hatten. Frau Stirnhohl erzählte, dass sie Lotto gespielt hatte, was ich ziemlich dämlich fand. Überlegen Se sich mal, die hat nun einen Dreier mit Zusatzzahl und gewinnt tatsächlich 60 Euro. Dann muss die wegen 60 Euro extra nach Italien reisen, um das Geld abzuholen, oder aber sich ein Leben lang darüber ärgern! Über so viel Einfältigkeit kann man doch nur den Kopf schütteln.

Gittl berichtete, dass sie einen Laden mit Knabberfischen gefunden hätten, in dem man sich die Hornhaut von den Füßen nagen lassen konnte. Er wäre jedoch leider geschlossen gewesen, sie hätten das so gern mal ausprobiert. Gertrud und ich sagten nichts und guckten die schöne Landschaft an.

Franziska gab über das Bumsmikrofon ... nee, warten Se mal ... da ist mir ein M reingerutscht, wo es nicht hingehört. «Über das Busmikrofon» muss es heißen! ... die Informationen zum weiteren Ablauf durch. Wir seien Gott sei Dank alle vollzählig, wenn auch etwas später als geplant, sagte sie mit einem strafenden Blick rüber zu Gittl und Herbert. «Hoffen wir mal, dass das Schiff noch auf uns wartet und wir nicht mit dem Bus hinterhermüssen!»

Die planen bestimmt einen Puffer ein, dachte ich mir. Ich machte mir da keine Sorgen, aber es war schon ganz richtig, dass sie den Bömmelmanns ein bisschen Angst machte. Die hörten jedoch nicht mal richtig zu, Herbert hatte nämlich Hunger. Obwohl es bald schon Abendbrot gab, musste er JETZT im Bus eine Stulle essen. Gittl schmierte am Frühstückstisch immer eine kleine Wegzehrung, nach der sie nun auf Herberts Geheiß in ihrer Handtasche grub. Das machte sie sogar an Tagen, wo wir gar keinen Ausflug hatten, stellen Se sich das mal vor! Als könnte ihr Herbert an Bord verhungern.

Sie förderte eine Haarbürste, zwei neue Filme für den Fotoapparat und ihre Haustürschlüssel zutage, bevor sie die Stullen für Herbert fand. «Es geht doch nüscht über 'ne rischtsche Bemme!», kommentierte er, bevor er beherzt abbiss.

«Ich möchte Sie daran erinnern, dass heute um 20 Uhr die große ABBA-Revival-Show im Belle-Époque-Saal stattfindet», flötete Franziska. «Genießen Sie den Abend und singen und feiern Sie mit. Es wird ein Spaß für Jung und Alt.»

Na, das würden wir noch sehen. Eigentlich mag ich kein Hippiegedudel auf Englisch, aber ABBA ist doch nett. ABBA ist letztendlich nichts anderes als Schlager auf Englisch. Wenn Helene Fischer englisch singen würde, wäre das dann Schlager? Also, wo soll man denn da die Grenze ziehen?

Wir aßen zu Abend und zogen uns um für die Veranstaltung. Ich entschied mich für die geblümte Bluse zum hellen Rock, das erschien mir angemessen. Ein bisschen schick, aber ich ließ mir für den großen Kapitäns-abend noch eine Steigerungsmöglichkeit. Gertrud und ich schmierten uns auch gegenseitig ein bisschen von der feinen Frisiercreme ins Haar, die mir die Friseusen-Kathrin mitgegeben hatte. Ein Pröbchen. Es duftete fein, und das Haar saß ein bisschen anders. Irgendwie frischer und ju-gendlicher, hihi … Immerhin hatten wir Urlaub, und es wurde moderne Pops-Musik gegeben.

Ich ermahnte Gertrud, ihre Seekrankheitsmedizin zu nehmen, und nachdem das erledigt war, machten wir uns auf den Weg. Wir mussten fast bis Backbord runter, was ein Weg von vier Treppen und drei Fluren war. Ach, war das schön! Die Sitze wie in einem richtigen Theater aus Samt und Rotwein. Weinrot, meine ich. Alles sehr gediegen, nee, das hatten sie schön gemacht. In die Decke waren Hunderte kleine Lichter eingelassen. Sie sah aus wie ein Sternenhimmel. Wenn man es nicht gewusst hätte, man wäre nicht auf die Idee gekommen, dass wir mitten auf dem Meer auf einem Schiff waren. Ich machte eine Aufnahme mit dem Scheibchentelefon von der Bühne und einen Selfi mit Gertrud, und nun raten Se mal, wer auf einmal wieder neben uns stand. Richtig: Fräulein Franziska-Beatrice, die sich immer noch nicht für einen Namen entschieden hatte.

«Während der Show dürfen Sie aber keine Bild- oder Tonaufnahmen machen, Frau Bergmann, das irritiert die Künstler.»

Ich lächelte und harkte innerlich meinen Zen-Garten, damit sie nicht merkte, wie ich mich schon wieder aufregte über diese freche Unterstellung. Als würde eine Renate Bergmann die Vorstellung stören! Ich weiß doch wohl, was sich gehört. Ich mache immer schön den Blitzbums am Scheibchentelefon aus, wenn ich fotografiere, damit es keinen stört. Den Tipp mit dem Harken hat mir übrigens Kirsten gegeben. Auch wenn sie spinnt, manche ihrer Ratschläge sind nicht dumm und sogar ein bisschen hilfreich. Man muss sich nur das Richtige rauspicken. Hostessen-Franzi bot an, ein Foto von Gertrud und mir vor der Bühne zu machen.

«Wo Sie sich so schick gemacht haben heute Abend!», merkte sie an, und in mir kamen Zweifel hoch. Sie hatte so einen komischen Unterton. Wie, wenn die Verkäuferin sagt: «Das trägt man jetzt aber so.» Merken Se sich das, wenn die das sagt, dürfen Sie es nie kaufen! Dann sehen Sie garantiert aus wie ein rosa Kartoffelsack. Gertrud und ich bauten uns lächelnd auf, und Franziska drückte ab. Ach, es wurde ein schönes Bild, man konnte nicht meckern! Besser als der Selfi, da ist ja immer ein Arm mit drauf, oder man muss so nah ran, dass das Bild nur aus Gesicht besteht.

Der Saal füllte sich. Ganz voll wurde es nicht, es war aber auch so viel los an dem Abend! Nebenan auf der Kegelbahn war heute das große Turnier um den Kapitänspokal, da hatten viele mehr Lust auf «Alle Neune» als auf «Mamma Mia». Wobei, die spielen ja heute mit zehn Kegeln, das macht es ein bisschen leichter. Dafür hat die Kugel Löcher, was es wieder ausgleicht. Ach, es ist eine verrückte Zeit!

Und dann ging die Schose hier los. Sänger und Tänzer kamen auf die Bühne mit bunten Hosen und Kleidern und Schuhen, in denen sie kaum stehen konnten! Herrlich. Wie die Zicken im Melkeimer standen se da und schoben die Füße ein bisschen hin und her, und ehrlich gesagt konnten sie sich kaum besser bewegen als ich, wenn der Ostwind wieder an der Hüfte knabbert und ich den Rollator nehmen muss. Ich kann die Texte nicht aufschreiben, es war ja alles auf Englisch, aber das machte nichts. Alle sind schon nach dem ersten Lied aus den Sitzen aufgesprungen und haben mitgesungen und geklatscht.

Irgendwie kamen mir die meisten Gesichter auch bekannt vor. Ich habe doch einen Blick für Gesichter! Namen merke ich mir nich gut, das hat aber nichts mit Vergesslichkeit zu tun, das war schon immer so. Namen sind Schall und Rauch, aber für Gesichter habe ich ein Gedächtnis. Bei Fahndungsplakaten gucke ich immer, ob ich nicht jemanden erkenne, und auch bei kleinen Kindern kann ich sofort sagen, ob sie nach dem Vater schlagen oder ob da vielleicht der Kuckuck ein Ei gelegt hat ... wie damals, als ich in Karlshorst wohnte. Kirsten war noch klein und Wilhelm lebte noch. Wilhelm, mein zweiter Mann, wissen Se doch, nich? Da hatten wir einen Ableser von der Lichtanstalt, der machte immer die Runde und notierte die Zählerstände. Es war in den sechziger Jahren – heute sagt man ja neunzehnhundertsechziger Jahre –, da kamen die noch rum und haben Lichtgeld in bar kassiert und nichts wurde abgebucht mit Abschlag und solchem Kram. Damals waren viele Frauen auch zu Hause tagsüber und haben nicht gearbeitet, und nicht nur, weil sie gern Jogginghosen trugen und RTL 2 guckten (das gab es früher ja alles gar nicht), sondern weil sie Hausfrau waren. Das war da noch ein richtiger Beruf. Der Mann war auf Arbeit, na ja, und wie das so ist ... der Lichtableser (sehen Se, mein Namensgedächtnis! Ich kann Ihnen beim besten Willen nicht mehr sagen, wie er hieß) machte seine Runde, und bei so mancher Dame hat er offenbar nicht nur den Zähler abgelesen, sondern sie hat ihm auch den Rettich gebürstet.

Der Rudi – Rudi hieß er, jetzt fällt es mir wieder ein! –, der Rudi hatte ganz leuchtend rotes Haar, was auch sehr dominant in der Vererbung ist. Was soll ich Ihnen sagen, als Kirsten eingeschult wurde, sang die Jahrgangsklasse über ihr zur Feierstunde, und es waren vier Mädchen und sechs Buben mit feuerrotem Haar in der Klasse. Da musste man gar nicht groß einen Blick für Gesichter haben, das war leicht zu erkennen, selbst mein Wilhelm musste lachen. Als der Chor «Der Kuckuck und der Esel» anstimmte, bissen wir uns beide fest auf die Lippen.

Hier war es ein bisschen anders, die Darsteller hatten alle Perücken auf, und es ging auch nicht um die Vaterschaft, sondern darum, dass mir einige so bekannt vorkamen. Als Gertrud mich antippte und rüberrief: «HAST DU IHN ERKANNT? DAS IST DER HERR PAULO VON DER BAR!», da fiel es mir wie Schuppen von den Augen: Das waren alles Besatzer! Also Besatzungsmitglieder! Jetzt, wo man es wusste, war es ganz leicht zu erkennen. Das Fräulein Julia, das immer die Morgengymnastik machte und alle anschrie, sie sollten gefälligst gute Laune haben, hatte eine blonde Langhaarperücke auf und trug himmelblauen Lidschatten. Auch der Schwimmmeister, der am großen Schwimmingspool Wache auf einem Schiedsrichterstuhl vom Tennis schob, machte mit, und sogar das Zimmermädchen, dem Gertrud ein Pfft von ihrem Pfefferspray gegeben hatte, wackelte mit. Da war ich schon erleichtert, dass sie offenbar wieder gucken konnte.

Ich erkannte sie fast alle, ach, wie zauberhaft! Und was für Mühe die sich gaben und wie talentiert sie waren! Wie ärgerlich, dass ich nicht ein kleines Videofilmchen mit dem Glasscheibchentelefon machen durfte. Das kann das nämlich auch, wussten Sie das? Es ist verrückt. Wie ein

Computer für die Hosentasche. Nicht nur Fotos, sogar Filme! Stefan hat seinerzeit, als die kleine Lisbeth laufen lernte, die ersten Schritte aufgefilmt und es überall rumgezeigt. Ganz stolz war er auf seine Tochter, der Stefan. Kann er ja auch sein, die Kleine ist ein Sonnenschein! Da habe ich es mir zeigen lassen, wie das geht mit dem Filmaufnehmen auf dem Telefon. Das ist ganz leicht. In der einen Nacht, als Gertrud wieder schnarchte wie ein Tiger in Narkose, habe ich es aufgezeichnet. Sie streitet trotzdem alles ab und sagt, das hätte ich aus dem Interweb und sie wäre das gar nicht.

Die sangen und tanzten wohl bald eine Stunde lang, und wissen Se, auch wenn wir die Texte nicht kannten, erkannten wir doch fast jede Melodie. Man staunt, was so im Ohr hängenbleibt von der Remmidemmi-Hottentotten-Musik. Ein paar von den Spaßmachern waren auch im Publikum verteilt und animierten uns ständig aufzustehen. Das wäre gar nicht nötig gewesen, die Stimmung war so mitreißend, dass sich Gertrud und ich bereitwillig aus den Sitzen erhoben und fröhlich mitklatschten. Bei den langsameren Liedern setzten wir uns dann wieder und verpusteten ein bisschen.

Zwei Reihen vor uns, ein bisschen schräg links, saßen Gittl und Herbert. Auch sie amüsierten sich großartig, Gittl drehte sich ab und an um und winkte uns zu. Herbert hatte es nicht so mit dem Rhythmus. Da sind doch die Männer fast alle gleich. Tanzen und Schunkeln ließ er gleich von vornherein sein, daran versuchte er sich gar nicht erst, und mit dem Klatschen haperte es auch ganz schön. Haben Se damals die Frau Merkel im Stadion gesehen, als unsere Jungs in den weißen Hosen Weltmeister wurden? Nicht? Aber Sie haben bestimmt schon mal im Zoo zugeguckt, wenn ein Seehund gefüttert wurde und sich über den Fisch freut, oder? So in etwa können Se sich das vorstellen. Aber das war gar nicht wichtig, Hauptsache, er hatte Spaß und amüsierte sich gut.

Dann steuerte es offenbar auf das große Finale zu, die Animatrosen verteilten jedenfalls Federboas im Publikum und stachelten uns zum Schunkeln an. Die Lichter flackerten, die große Discokugel drehte sich, und die Spiegelscherben machten Flackerlicht. Es blitzte und blinkte, und alle sangen mit. Konfetti regnete von der Decke, und ich dachte kurz: «Renate, so muss das auf diesen Discos sein, wo die jungen Leute immer hinrennen.» Wir teilten uns beide eine lange rote Federboa und sangen lauthals mit «Däncing Kwin … lalalalala, lalalalalalala …» Es war ja alles auf Englisch, aber das war ganz egal. Musik öffnet Herzen und verbindet Menschen. Es sollte viel mehr gemeinsam musiziert werden (verraten Se das aber nicht der Schlode, dass ich das geschrieben habe …).

Der Mann vom Fotostand hatte natürlich auch Wind davon bekommen, dass hier was los war. Die kennen das Programm und wissen, wo welche Schose steigt, die fahren die Reise ja nicht zum ersten Mal mit. Wenn ich mir das überlegte, tagein, tagaus mit dem Dampfer durchs Mittelmeer und drei Wochen in Spandau wären dann der Urlaub? Also das wäre auch nichts für mich, aber das nur am Rande bemerkt.

Just in dem Moment, wo Gertrud und ich lauthals «Mamma Mia» sangen und mit der Boa wedelten, machte es «KLICK», und es blitzte. Ich erschrak erst sehr, aber dann freute ich mich auf das Bild. Kennen Se das Gefühl, dass man in dem Moment, wo der Apparat auslöst, ganz sicher weiß, dass das ein schönes Bild geworden ist? Wenn Kurt knipst, hatte ich das Gefühl noch nie. Der fotografiert immer so, dass die Köpfe nicht mit drauf sind, und man muss sich hinterher erinnern, wer welche Schuhe anhatte. Sonst kriegt man nicht raus, wer alles auf dem Foto ist.

Eigentlich hatte ich dem Foto-Lutschi verboten, uns zu knipsen, und ihm gesagt, dass wir von seinem überteuerten Kram nichts kaufen würden, aber an diesem Abend war es in Ordnung. Am nächsten Morgen nach dem Frühstück und bevor wir auf den Ausflug gingen, ließ ich Gertrud wie immer kurz allein in der Kabine, damit sie die gebotene Intimsphäre hatte, um ihre Medikamente einführen zu können. (Ist das diskret genug? Doch, ich glaube, so kann man das sagen; Sie wissen ja eh, dass ich Zäpfchen meine und nicht Tabletten, oder?) Ich ging zum Foto-Lutschi, der mir freudestrahlend entgegenwinkte und das Bild vom ABBA-Abend auch gleich fand. Ach, ich musste laut auflachen: Wir beiden ollen Weiber mit buntem Konfetti im Haar, Arm in Arm beim Schunkeln und Singen!

«Herr Lutschi, passen Se auf», sagte ich zu ihm. «Ich bin eine arme Pensionärin mit einer schmalen Rente, die Reise habe ich mir vom Munde abgespart, und ich werde

Ihnen keine 20 Euro für ein Bild bezahlen. Aber wenn Sie mir einen guten Preis machen und das als Postkarte ausdrucken, na, sagen wir, zehnmal? Dann nehme ich das!»

Herr Lutschi markierte Schnappatmung und setzte zu einem langen Vortrag an, wie viele Kinder er hätte, die satt werden müssten.

«Herr Lutschi, Karten auf den Tisch: fuffzehn Euro für zehn Postkarten oder gar nichts. Rechnen Se mal durch, das ist für jedes Kind ein Überraschungsei und eine Runde auf dem Karussell, wenn wieder Rummel ist.»

Ich drückte meine Handtasche an mich, drehte mich um und ging langsam los. Mit den 15 Euro war der gut bedient, da konnte der sich nicht beklagen. Rechnen Se mal, eins fuffzich für eine Postkarte! Das Porto kam ja auch noch hinzu, das muss man bedenken. Kaum hatte ich zwei Schritte gemacht, da rief er mir schon nach. In dem Moment wusste ich, dass ich gewonnen hatte. Mit viel Jammerei und unter lautem Lamentieren ließ er sich darauf ein.

Geht doch!, dachte ich bei mir. Warum sich die Leute immer erst so anstellen müssen? Am Ende kriegt die süße weißhaarige Oma ja doch, was sie will! Lassen Se die Gängster ihren Enkeltrick haben, eine Renate Bergmann hat ihre Omatricks! Ich lächelte milde, bedankte mich für die schönen Karten und schenkte ihm noch ein Paar Topflappen. Sie wissen doch, über Topflappen freut sich jeder!

Gertrud staunte nicht schlecht, als ich mit den schönen Postkarten winkend in die Kabine zurückkehrte. Sie saß gerade vor dem Spiegel und frisierte sich.

«Zehn Stück habe ich, jetzt lass uns mal überlegen, wem wir alles schreiben», schlug ich vor.

«Eine kriegt Gunter! Und eine geht an meine Gisela … und Ilse und Kurt natürlich, aber denen können wir zusammen schreiben, das spart Porto, Renate. Und eine möchte ich für mich aufheben. Für die kaufe ich noch einen hübschen Bilderrahmen und stelle sie in die Anbauwand. Oder auf den Fernseher neben das Foto von Gustav.»

Sie müssen wissen, Gertrud hat noch so einen dicken Fernsehapparat. Nicht so einen Fettscreen, sondern einen mit Bildröhre, wo man wenigstens Platz hat für ein Deckchen, eine Fernsehlampe und ein paar kleine Bilderrahmen von den Enkeln. Allerdings hängt bei Gertrud das Deckchen immer so weit runter, dass sie das Senderlogo in der Ecke nicht sieht. Wenn ich manchmal anrufe, um ihr zum Beispiel zu sagen, dass auf Nordfunk Drei «Ohnsorgtheater» mit Heidi Kabel läuft, muss Gertrud immer erst aufstehen, zum Apparat laufen und das Deckchen hochheben. Im Grunde ist eine Fernbedienung völlig überflüssig für sie, da sie sowieso aufstehen muss, um das Häkeldeckchen anzuheben und darunter nachzugucken, was sie angeschaltet hat.

Ich würde Kirsten schreiben, Stefan und Ariane, der Berber und der Meiser. Das musste schon sein, auf die Nachbarschaft! Außerdem würden sie so einen kleinen

Schreck kriegen und vielleicht mal das Treppenhaus durchwischen. Ein Kärtchen würde ich auch für mich aufheben und in mein Fotokistchen legen. Eine Karte war noch übrig, und Gertrud schlug tatsächlich allen Ernstes vor, dass wir sie an Frau Schlode schicken könnten.

«Du hast dir wohl die Wickler zu fest eingedreht, Gertrud. Ich schicke doch der Schlode keine Karte! Die stellt glatt ein zweistündiges Chorprogramm als Dankeschön zusammen und steht auf dem Flugplatz, wenn wir landen. Der Schlode! Gertrud, also wirklich … Uns wird schon noch was einfallen, was wir mit der Karte machen. Und sieh zu, dass du fertig wirst mit deinen Haaren. Wir wollen nicht die Letzten sein am Bus!»

Ich prüfte meine Handtasche. Ausweis, Portemonnaie, Schiffskarte, Erfrischungstücher, Reiseführer, Scheibchentelefon, Taschentücher … doch, es war alles d… KORN! Um Himmels willen, der Flachmann war leer. Da sehen Se mal, wie wichtig es ist, ab und an Kontrolle zu machen. Man stelle sich nur vor: Ich kriege Kreislauf beim Landgang oder einen großen Schreck, oder das Frühstücksei liegt schwer im Magen – da will man doch nicht ohne Korn dastehen.

Ich holte die große Flasche aus dem Koffer, befüllte den Flachmann und kleckerte mir ein ganz kleines bisschen auf den Zeigefinger. Nachdem ich ihn abgeleckt hatte, mahnte ich Gertrud noch mal zum Aufbruch, und wir machten uns auf den Weg zum Ausschiffen. Auf dem Flurdeck trafen wir Gittl und Herbert, die freundlich grüßten, und ich hörte Gittl flüstern: «Riech mal, Herbert! Die hat eine Fahne! Am frühen Morgen! Und das ist kein Melissengeist, die säuft Schnaps!»

So eine Frechheit. Zur Strafe würde ich ihr am nächsten Morgen Vaseline unter ihre Stöcke vom Nordisch Wokken schmieren.

Ich habe so tief Mittagsschlaf gemacht, ich bin ganz benebelt. Pfarrer Fliege läuft wohl nicht mehr?

Wissen Se, dass Gertrud das Geschwanke auf dem Schiff nicht ganz geheuer war, hatte auch sein Gutes: So hatte ich nie Probleme, sie zum Landgang zu überreden. Gertrud ist im Grunde genommen nämlich eine sehr bequeme Person, die es sich gern mal gemütlich macht und den Nachmittag auf der Couch verschläft.

Sie kommt morgens nicht aus den Federn und schläft oft bis nach acht. NACH ACHT! Den halben Tag verschnarcht die! Wenn anständige Menschen schon gefrühstückt und die Kartoffeln für das Mittagbrot geschält haben, steht Gertrud erst auf. Weil auch ihre Doktersche zum Mittagsschlaf rät – das machen die Ärzte alle bei alten Leuten, genau wie sie einen zum Spazierengehen drängeln und ständig mahnen, dass man viel trinkt –, schläft Gertrud nach dem Essen.

Ich bin da streng: Nach dem Mittagbrot wird das Geschirr gespült. Wie sieht das denn aus, wenn mal einer kommt, und da steht noch die Abwäsche? Was sollen denn die Leute denken! Und ich meine damit nicht mal, dass man vielleicht «hinüberschläft» und der Notarzt und der Bestatter kommen – die haben schon ganz andere Sachen gesehen. Nein, ich meine die Nachbarn oder vielleicht Hennie Baumann. Die kommen ohne Voranmeldung, man legt kurz die Füße hoch, hat gerade die Brille abgesetzt und liegt im Unterrock auf der Couch, da schellt eins von den jungen Dingern und fragt Sachen wie: «Hat wohl der Fahrer von der Post ein Paket für mich bei Ihnen abgegeben?»

Fürchterlich! Dabei wissen die genau, dass ich keine Pakete mehr annehme, seit es den Ärger mit der Berber gab. Sie hatte im Interweb was bestellt, und es kam mit der Post, als sie im Büro war. Ich habe das Päckchen angenommen für sie. Am Rande war es ein bisschen eingedrückt, genau genommen war da sogar schon ein kleines Loch. Wirklich! Definitiv gab es keinen Grund, mir zu unterstellen, ich hätte das einfach aufgemacht. ICH. Als ob ich neugierig wäre. Mich interessiert es doch überhaupt nicht, was die sich kauft und wie sie rumrennt. Ich will lediglich wissen, mit wem ich da unter einem Dach zusammenlebe und was im Haus so passiert.

Soll sie doch froh sein, dass ich es gleich kontrolliert und dem Fahrer wieder mitgegeben habe! So hat sie sich die Mühe gespart. Es war nämlich ein Nicki in Größe 38. Hihihihi. 38! Das kriegt die gerade über die Brust, und der ganze Bauch quillt in Rollen raus. Sie braucht eine 46, eher eine 48. Wie dem auch sei, sie hat ein Mordsgeschrei veranstaltet. «Schnüfflerin» hat sie mich genannt und von «Briefgeheimnis» lamentiert. Das war ein Päckchen und kein Brief, und es war schon offen. Himmel herrje, man kann sich aber auch dummhaben. Für mich jedenfalls ist das mit den Päckchen seither erledigt, ich nehme nichts mehr für andere Leute an. Dann muss sie eben nach Feierabend zur Post laufen oder zur Tankstelle. Bitte, sie will es ja nicht anders!

Aber wo war ich? Ich habe mich wohl ein bisschen verplaudert. Ach ja, jetzt weiß ich wieder. Ich mache nur eine halbe Stunde Mittagsschlaf, länger nicht. Sonst ist man ganz rammdösig und hat eine Schlaffalte vom Schäselong im Gesicht. Für das kurze Nickerchen gehe ich nämlich nicht ins Bett, wissen Se. Das lohnt sich nicht, deswegen die Paradekissen und die Tagesdecke abzuräumen. Gertrud hingegen schläft unter Mittag gern mal zwei, drei Stunden. Wenn Norbert nicht drängeln würde, dass er zum Gassi rausmuss, würde die mit Sicherheit manche Tage gar nicht hochmachen vom Sofa, das sage ich Ihnen! Deshalb bin ich froh, dass sie den Hund hat, mag er noch so wild lecken und sabbern. Wenigstens zerrt er Gertrud vor die Tür bei Wind und Wetter, und sie kriegt ihre Bewegung. Bevor sie den Hund hatte, ging sie oft tagelang nicht raus. Entweder war es zu kalt, oder es sah nach Regen aus, und mal brannte ihr die Sonne zu doll. Nur als sie in der Zeitung geschrieben haben, dass sich ein Sittenstrolch im Spandauer Park rumtreibt, der sich vor den Frauen entblößt und sein Gemächt zeigt – da ist sie spazieren gegangen! Vormittags und nach dem Mittagbrot noch mal, jeweils eine Stunde. Begegnet ist sie dem Halunken nie.

Hier auf dem Schiff hielten wir es so, dass wir beizeiten frühstücken gingen und wenn möglich den Landausflug mitmachten. Gertrud war froh, wenn sie festen Boden unter den Füßen hatte. Am liebsten wäre sie immer auf die Knie gegangen und hätte den Boden geküsst, wie der Papst es früher auf den Flughäfen getan hat. Sie wäre aber so schlecht wieder hochgekommen mit ihrem geschwollenen Knie. Ab und an gönnten wir uns aber auch mal einen Tag Ruhe und blieben auf dem Schiff. So eine Stadtbesichtigung ist ja doch immer sehr anstrengend, erst recht in unserem Alter. Man muss es auch nicht übertreiben und jede Pickelhaube angucken, die jemand in eine Vitrine gestellt hat. Nee, da ließen wir es uns gutgehen und blieben auf dem Dampfer. Schließlich waren wir zur Erholung hier und nicht auf einer Bildungsreise. Gertrud nahm an diesen Tagen einen Düsenjäger mehr für hinterndrein. Wenn das Boot nicht fuhr, wackelte es auch nicht so doll. Das ließ sich schon aushalten.

An den Tagen machten wir uns nicht verrückt und guckten uns ein bisschen um. Langweilig wurde einem nun gewiss nicht, die hatten überall Sachen im Angebot, da kann sich die Volkshochschule noch einen Schinken von abschneiden! Eine Scheibe. Vom Schinken. Nee. Sie verstehen schon, wie ich das meine, oder? Man konnte mit Salzteig basteln, denken Se sich das nur. Ich war skeptisch. So was machen die Damen im Seniorenverein auch immer in der Adventszeit. Erst bohren sie in Eicheln und Kastanien rum, und wenn die im Oktober verschimmelt sind, legen sie mit Salzteig nach, weil es für Adventsgestecke noch zu früh ist. Sie kneten Möhren, Äpfel und flechten sogar Kränze für die Tür. Mein Geschmack ist das nicht, aber jedem das Seine, nich wahr?

Da Gertrud Feuer und Flamme war und auch die Kathrin aus dem Friseursalon dabei war, willigte ich aber ein und ging mit zum Kneten und rollte ein paar Würste. Gertrud darf im Seniorenverein ja nicht mehr mitbasteln, weil ihre Möhre einmal so unanständig aussah, dass alle Damen einen ganz roten Kopf bekamen. Frau Schroffinger hat nicht geglaubt, dass es ein Versehen war, und Gertrud Absicht unterstellt. Jedenfalls hat die Schroffinger Gertrud nicht mehr mitkneten lassen wollen. Die hat aber gekontert und gesagt, die Schroffinger wäre nur Altenpflege*helferin* und nicht mal Altenpflegerin und von so einer lasse sie sich gar nichts sagen. Es gab dann ein paar böse Wortgefechte. Sie wissen ja, Gertrud ist nicht wirklich eine Feine und sagt ab und an Worte, die an einer guten Kinderstube zweifeln lassen. Ich werde das hier NICHT wiedergeben, schließlich will ich dereinst oben im Himmel meiner Mutter mit reinem Gewissen gegenübertreten. Wie Gertrud das macht, ist ihre Sache.

Hier jedenfalls knetete sie mit Kathrin um die Wette. Kathrin war ja Profi, was das betraf, und baute sich Modeschmuck aus der salzigen Mehlpampe. Ich ließ mir von Kathrin helfen, eine Brosche für Kirsten zu formen. Sie wurde nicht schön, ich habe eben kein Talent für solche Dinge, aber der Wille zählte. Das würde das Mädel freuen, die mag solchen selbstgebastelten Quatsch.

Sie empfiehlt mir immer wieder irgendwelche Kurse von ihren verrückten Freundinnen in Berlin. Einmal bin ich sogar hingegangen, es ging um «Akupunktur gegen Schackrablockaden». Obwohl ich gar kein Schackra habe, dachte ich, es kann nicht schaden, und bin hin. «Sannyanchella des Lichts», so nannte sich Kirstens Freundin, pikste mich mit Nadeln. Als ich aussah, als hätte ich den Kaktus umgetopft, habe ich den Blödsinn beendet und bin nach Hause gegangen. Es war mir ganz egal, dass sie Meldung an Kirsten machte. Ich hätte da überhaupt nicht hingehen sollen, aber was tut man nicht alles für sein Kind? Eine Brosche aus Salzteig basteln zum Beispiel oder zur Nadelfee des Lichts gehen.

✼

Bei so einer Reise haben Se ja auch immer einen dabei, der gerade das Knie operiert gekriegt hat oder auch die Hüfte. Wobei, Hüfte seltener, damit ist es etwas schwierig zu reisen. Meist Knie. Das ist bei älteren Leuten ganz normal, wissen Se, da werden die Knochen und die Gelenke morsch, und die verdienen gut daran im Krankenhaus, wenn sie einem alles austauschen, was auszuwechseln geht. Da sind sie schnell dabei. Früher waren die Knochen ja auch nur für 60 oder höchstens 70 Jahre gedacht. Ich weiß noch, als Oma Strelemann damals 80 wurde, da war sie die Einzige im Dorf, die so alt war. Im ganzen Kreis war sie die Älteste, nicht nur der Bürgermeister kam zum Gratulieren, sondern auch der Landtagsabgeordnete schickte ein Telegramm – mit Schmuckblatt! –, und auch der Weihbischof sandte Glückwünsche. Aber das machte der nur, weil Oma Strelemann so fleißig gespendet hatte.

Sie war ja zum Ende hin ein bisschen durcheinander und nicht mehr ganz bei Trost. Als Mutter mitbekam, was sie dem Pfaffen alles zusteckte, wurde Oma sonntags im Bett angebunden, damit sie nicht in die Kirche konnte. Ja, gucken Se nicht so entsetzt, was sollte Mutter denn sonst machen? Oma hätte dem Schwarzrock sonst noch Haus und Hof überschrieben! Man muss sich nur zu helfen wissen und auch mal zu ungewöhnlichen, aber wirksamen Mitteln greifen.

Wie Kurt zum Beispiel. Wenn der sich mit seinen Skatbrüdern trifft einmal im Monat, nimmt er immer Ilses Zähne mit. Er weiß nämlich genau, dass sie ohne ihr Gebiss nie aus dem Haus gehen würde. Mit schon, auch spät in der Nacht, um Kurt aus der Kneipe zu holen. Da Kurt das aber so unangenehm ist, wenn Ilse da in seine Skatrunde reinplatzt und ruft: «Nun wird es aber Zeit, dass du nach Hause kommst, Kurt!», nimmt er kurzerhand ihre Zähne mit und hat seine Ruhe. So ein Schlingel ist er, unser Kurt. Hihi.

Es gibt auch immer einen, der wegen seines neuen Knies an Krücken geht. Auf dem Dampfer war es der Herr Rotzinger. Ich hatte erst Rotzfinger verstanden, als er und seine Frau sich vorstellten, aber das lag an ihrem Dialekt. Sie kamen aus dem Schwäbischen und gaben sich keine Mühe, das zu verbergen. Wissen Se, ich habe mich wirklich angestrengt, ihnen zuzuhören, und bestimmt waren es ganz nette Menschen, aber wenn alles, was man versteht, «Hanoi» und «Was mer da hätt spare könne!» ist, dann ist ein Gespräch doch recht unergiebig. Gertrud hat es noch ein bisschen länger versucht, aber ich hatte nach der ersten Unterhaltung genug.

Die Frau Rotzinger hat mir lange ausgeführt, wie die OP gelaufen ist, und es auch sehr bildlich beschrieben. Wollen Sie so was wissen? Ich nicht. Mit Schläuchen und Sonden und ach, hören Se mir auf, ich habe wirklich nicht zugehört. Es wäre alles prima verlaufen, wie man ja sehen könnte. Sie erzählte die Geschichte mit bebender Stimme, und man hätte denken können, er wäre vielleicht verstorben während der Operation, aber da er ja mit uns am Tisch saß und selber sehr gespannt zuhörte, was er alles durchgemacht hatte, war das Quatsch.

Die Rotzinger wollte sich bloß wichtigmachen. Angeblich hat der Chefarzt persönlich rumoperiert am Gemahl, und nur deshalb war noch was zu retten, und er ist dem Gevatter Tod gerade so von der Schippe gesprungen. Die Rotzingers hatten lange gebangt, ob sie wohl die Fahrt antreten konnten. Immerhin war alles bezahlt, und wie es so ist, man gönnt sich lieber einen Balkon als eine Reiserücktrittsversicherung – es hätte kaum Geld zurückgegeben. Aber der Hausarzt hat dem Herrn Rotzinger gut zugeredet. Mit Kniemanschette und Krücken würde es schon gehen. Er sollte sich schonen und nicht auf jedem Landgang die Berge hochkraxeln und seine Medikamente nehmen. Mut gemacht hat der Doktor ihm, gab die Rotzinger in langen Ausführungen zum Besten. Und so kreuzten die beiden mit uns nun durchs Meer und ließen sich von Gertrud, die als Kapazität auf dem Gebiet der Chirurgie galt, Tipps geben. Gertrud riet zu mäßiger Bewegung, Mittagsruhe und frischer Luft. Damit waren die Rotzingers zufrieden und Gertrud aus dem Schneider.

Kurts Männerchor hat sich aufgelöst. Es sind nur noch drei Herren über den Winter gekommen, und Kurt ist mit seinen 87 Lenzen der jüngste.

Beim Chorkonzert mit den Seemännern, für das wir uns eingetragen hatten, waren wir Älteren leider fast unter uns. Der Dietmar, der mit seinen Eltern reiste, war als Einziger von den Jüngeren mit dabei. Er war ein bisschen zurück, glaube ich, und spielte die ganze Zeit mit seinem Händi. Die Mutter teilte es ihm aber stundenweise zu. Das ist bestimmt richtig, aber doch nicht, wenn man über 40 ist. Das Alter hatte der Dietmar ganz sicherlich. Er trug die gleichen Polohemden wie der Vater, und beide steckten sie in die Hose rein und zwängten einen Gürtel drum. Die Mutter schnitt auch beiden seit Jahrzehnten im Keller die Haare, also wirklich, das hat sie selbst erzählt, ohne dass ich gefragt hätte. Man sah es auch, es wäre nicht nötig gewesen, dass sie es erwähnt. Das gesparte Geld gaben sie für schöne Kreuzfahrtreisen wie diese aus.

Im Grunde waren das bestimmt nette Leute, aber irgendwas in mir sträubte sich, mit denen zu reden. Dietmars Hobby waren heimische Singvögel. Als er mal wieder Händipause von der Mutti verordnet bekommen hatte, kam er ganz aufgeregt angelaufen und hielt mir ein Album unter die Nase, in das er lauter verschiedene Eierschalen geklebt hatte. Das bereitete mir großes Unbehagen, und deshalb beschränkte ich das Geplauder mit diesen Leuten auf nettes, freundliches Grüßen. Sie wissen ja, ich habe da meine Tricks. Wenn jemand, mit dem ich nicht reden möchte, etwas sagt, gehe ich einfach lächelnd weiter. Mit über 80 kann keiner böse sein, wenn man nicht mehr so gut hört.

Lassen Se es vielleicht 30 Hansels gewesen sein im großen Saal beim Chorkonzert. Mehr waren es bestimmt nicht. Dabei hatten die sich solche Mühe gegeben und überall Reklame gemacht. An jeder Ecke auf dem Schiff hingen Plakate, sogar der Herr Kapitän hatte es jedes Mal erwähnt, wenn er morgens den Wetterbericht durchsagte über die Lautsprecher, und Beatrice-Franziska sprach auch ganz viele Leute noch mal direkt an beim Frühstück. Aber nach Seemannsliedern stand nicht vielen der Sinn. Selbst Gittl kam allein, ohne Herbert.

Sie werden es nicht glauben, er blieb auf der Kabine und guckte Fußball. FUSSBALL! Im Urlaub! Es ging schon tagelang, immer wenn wir die beiden trafen, schimpfte er, dass es nicht genügend deutsche Sender im Fernsehen gab. Ich bin da gar nicht drauf eingegangen. Was geht mich das an? Sie kennen ja mein Motto, das ich mir vom Alten Fritz geborgt habe: «Jeder nach seiner Façon.» Wenn er meinte, er müsse im Urlaub in der Kabine sitzen und fernsehen, bitte schön. Gertrud und ich stellten die Flimmerkiste auch ab und an mal ein, ja. Aber nur, damit man mal die Nachrichten sah und wegen der Lottozahlen. Herbert hingegen hatte meist eine Fernsehzeitung dabei, die er stundenlang las. Er strich Sendungen an, die er gucken wollte, und schimpfte dann, dass es die Sender nicht gab. Das stimmte so auch nicht, auf unserem Gerät gab es bis hin zu Vietnam 4 alles. Er war bestimmt wie Kurt, wenn auf Knopf 2 nicht Fußball läuft, wie er es gewohnt ist, sucht er nicht weiter, sondern brubbelt beleidigt. Herbert beschwerte sich auch bei der ganzen Besatzung, von Franziska über den Barmixer bis hin zum Zimmermädchen. Die verstand jedoch kein Wort und brachte ihm eine Extradecke. Selbst als er dem Kapitän die Hand schüttelte beim Vorstellen, fing er an, über den Fernsehempfang zu lamentieren.

Wissen Se, es muss ja jeder selber wissen, was einem wichtig ist und wie er seinen Urlaub verbringt. Die Bömmelmanns waren auch schon gut an den Siebzigern ran, wenn nicht drüber, wer weiß denn, wie lange die noch reisen können? Es kann so schnell gehen in dem Alter! Heute ist man noch gesund und fidel, und morgen sagt die Doktern einem: «Also mit dem Blutdruck, da dürfen Se nicht mehr fliegen», oder solche Dinge. Und da sitzt man auf seiner letzten Reise – mmmh, nee, letzte Reise ist was anderes, das kann man so wohl nicht sagen –, also, was ich meine, ist: Wer weiß denn, ob es nicht die letzte große Urlaubsfahrt ist, die man macht? Da lasse ICH nichts aus und mache alles mit, was angeboten wird. Fußball gucken kann ich auch noch, wenn ich zu Hause bin. Das läuft doch jeden Tag auf irgendeinem Sender! Schalten Se mal durch, irgendwo rennen die immer dem Ball nach. Fußball zeigen die rund um die Uhr. Es ist eine Frechheit, Eiskunstlauf oder Formationstanz kommt fast gar nicht mehr. Was war das früher schön, wenn am Sonntagnachmittag Tanzen kam! Die Musik und die schönen bunten Kleider, ach, hinreißend! Meist waren die alle ganz prima, aber bei einer Truppe hat eine Dame eine Feder verloren oder bei der langen Linie ein bisschen das Bein nachgezogen, und deshalb wurden sie dann Zweite. Die Preisrichter hatten so schöne große Kärtchen, die man auch ohne Fernsehbrille gut lesen konnte, und wenn die Mehrheit die Eins zeigte, hatte die Mannschaft gewonnen.

Zeigen se alles nicht mehr, und wenn, dann ganz selten und mitten in der Nacht. Nur Fußball bis hin zur dritten Liga und Sendungen aus dem Zoo. Ich bitte Sie, ich schippere doch nicht mit einem Schiff durch das Mittelmeer und gucke mir dann auf der Kabine im Fernsehen an, wie in Berlin im Tierpark die Esel ausgemistet werden!

Aber bitte, jeder macht, was er für richtig hält. In Spandau kann man jedenfalls selten so adrette Seemänner sehen, die ein Ständchen bringen, nur den Männerchor mit Kurt. Da ist es selbstverständlich, dass ich mir die angucke. So saßen wir in kleiner Gruppe in den großen Plüschsesseln. Auf jeden Gast kam ungefähr ein Chorherr. Es waren alles ältere Männer, die extra eingeflogen worden waren am Tag vorher und zugestiegen sind, sie fuhren nicht die ganze Zeit mit. Gertrud hatte sie beim Frühstück schon entdeckt. Eine Gruppe von 30 reifen Herren ohne Damenbegleitung bleibt meiner Gertrud natürlich nicht verborgen. Sie wissen ja, dass sie im Grunde ein loses Ding ohne Anstand ist, eine Art «Berber in alt». Ganz schamlos stolperte sie schon am Rührei-Büfett einem Tenor in die

Arme. Als sie an den Tisch zurückkehrte, überschlugen sich ihre Worte. Sie war so aufgeregt, dass sie hektische Flecken am Dekolleté hatte.

«Renate, denk dir. Ein ganzer Chor! Alles gutsituierte Herren! Und alle sind sie ohne Frauen hier! Das ist für mich wie ein Angelausflug an den Forellenteich! Warum zum Teufel habe ich das rückenfreie Kleid nicht eingepackt?», sprudelte es aus ihr raus.

Ich mahnte zum Anstand, erinnerte an Gunter Herbst, der brav und treu zu Hause Norbert umsorgte, und versteckte ihre durchsichtige Bluse. Gertrud ist eben leicht entflammbar, wenn sie Männer sieht, das war schon immer so und wird sich wohl auch nicht mehr ändern. Ich sage Ihnen, die müssen Se dereinst im Sarg festbinden, sonst springt die den Pfarrer an!

Zumindest, was den Rührei-Tenor betraf, war ihre Erregung jedoch umsonst. So, wie der Herr ging, war mir gleich klar, dass er an anderen Ufern fischte. «Knöpf die Bluse wieder zu, Trudchen. Der Herr spielt nicht mit Mädchen», bremste ich ihre Aufregung.

Die Männer vom Chor trugen weiße Hosen, blau geringelte Hemdchen und rote Halstücher dazu. Die meisten hatten einen weißen oder einen grauen Bart, ach, wie richtige Seebären sahen sie aus. Fesch und männlich. Ich konnte Gertruds Schwärmerei sehr gut verstehen. Weil es nicht so voll war, rutschten wir in die erste Reihe und schauten bewundernd zu den Männern auf. Sie schmetterten los und gaben die schönsten Seefahrerlieder zum Besten, die man sich denken konnte – von Hans Albers bis Freddy Quinn war alles dabei. «Der Junge von Sankt Pauli», «Ein Schiff wird kommen» und sogar «Wo die Nordseewellen trekken an de Strand».

Auch wenn wir auf dem Mittelmeer schipperten und nicht auf der Nordsee und es nicht so ganz genau passte – es war wunderschön! Wir schunkelten und sangen leise mit. Erst bewegten wir nur die Lippen, aber als der dritte von links, der Bass mit dem kleinen Bauchansatz und der Brille, als der Gertrud aufmunternd zuzwinkerte, da gab es kein Halten mehr. Bei «Alloha he» kam Gittl von hinten zu uns in die erste Reihe, und wir schunkelten. Einer der Seemänner holte ein Akkordeon raus, und nun brachte der Chor ein paar wehmütige Stücke zu Gehör. Bei «Junge, komm bald wieder» weinte Gertrud, so schön sangen die das. Ich hingegen bekam bei den «Caprifischern» einen Kloß im Hals. Das passte so schön! Auch wenn wir nicht direkt vor Capri haltgemacht hatten – Mittelmeer ist Mittelmeer!

Wenn bei Capri die rote Sonne im Meer versinkt
Und vom Himmel die bleiche Sichel des Mondes blinkt,
Ziehn die Fischer mit ihren Booten aufs Meer hinaus,
Und sie legen in weitem Bogen die Netze aus.
Nur die Sterne, sie zeigen ihnen am Firmament
Ihren Weg mit den Bildern, die jeder Fischer kennt.
Und von Boot zu Boot das alte Lied erklingt,
Hör von fern, wie es singt:
Bella, bella, bella Marie,
Bleib mir treu, ich komm zurück morgen früh,

Bella, bella, bella Marie,
Vergiss mich nie.

Man fragt sich immer, woher man den Text kennt, schließlich hat man den nie richtig auswendig gelernt, aber da kann man mitsingen. Und selbst, wenn man mal eine Zeile nicht weiß, mit «lalalala» überbrückt man das, und dann stimmt man wieder ein. Das ist wie mit «Griechischer Wein» von Herrn Jürgens.

Bei «Nimm mich mit, Kapitän, auf die Reise» knöpfte Gertrud an ihrer Bluse rum und guckte so eindringlich zum Bebrillten mit dem Bauchansatz, dass der vor Schreck den Text vergaß und direkt ins Schwanken geriet. Einen Moment dachte ich, er fällt von der Bühne. Die ollen Seebären sangen weit über eine Stunde lang von der Sehnsucht nach dem rauen Meer, den fernen Häfen und all ihren Bräuten dort, die unter den Laternen auf sie warteten. Sie besangen die hohen Masten, Matrosen und auch von einer gewissen Bonni, die ower dem Oschn is.

Das große Finale war dann «An der Nordseeküste». Machen Se das mal einem Italiener klar, dass das Kultur ist und dass Sie nicht einen in der Krone haben! Uns war es egal, wir hatten unseren Spaß und sangen und schunkelten voller Leidenschaft mit. Als Überraschung und Höhepunkt ging nicht nur Franziska auf die Bühne und überreichte einen Blumenstrauß, sondern sogar der Herr Kapitän Holm-Bertelsen. Er dankte den Herren für die schönen Lieder und den wunderbaren Abend. In seinem gebrochenen Deutsch klang das sehr lustig! Auch wenn es wenig Zuschauer waren, klatschten wir lange und so laut, bis uns die Hände weh taten.

Eine Renate Bergmann denkt immer praktisch, das wissen Se ja, und deshalb schoss mir gleich der Gedanke durch den Kopf, was zum Teufel sich die Beatrice-Franziska wohl dabei gedacht hatte, den Männern EINEN Blumenstrauß zu schenken. So ein Blödsinn. Wer von denen sollte den denn bekommen? Und sie reisten morgen doch auch wieder ab, wie sollten sie das Gebinde denn im Flugzeug transportieren? Gertrud hatte das natürlich gleich in Erfahrung gebracht von ihrer Rührei-Bekanntschaft am Büfett. Sie hätte jedem ein kleines Geschenk machen müssen. Wennschon, dennschon. Bestimmt hätten sich die Männer über eine kleine Buddel Rum oder einen Korn mehr gefreut. Es machte auf jeden Fall gar keinen Sinn, *ein* Blumengebinde zu überreichen. Da konnte man mal wieder sehen, dass die jungen Dinger keine Ahnung von praktischen Dingen haben.

Der Stimmführer dachte offenbar genauso, er stand ziemlich verdattert mit dem Bouquet da, winkte kurz damit ins Publikum und kam dann direkt auf uns zu. Er beugte sich zu Gertrud, Gittl und mir runter und sprach: «Sie waren so ein zauberhaftes Publikum, meine Damen, darf ich Ihnen die Blumen überreichen?» Ich wusste, dass es für Gertrud keine größere Freude gab als das, zog mich dezent zurück und überließ ihr den Vortritt. Der Seebär drückte ihr den Strauß in die Hand. Gertrud stand mit dem Strauß neben mir und war wie weg. Wie eine

Schlafwandlerin stand sie da und strahlte über das ganze Gesicht.

Ich glaube, Kirsten hat es mit Räucherstäbchen, Klangschale und Atemübungen noch nie geschafft, jemanden in so einen Zustand zu versetzen, wie der Sangesbarde mit seinem Blumenstrauß. Gertrud war so glücklich! Die Blumen – es war ein Gebinde aus Gerberas, Rosen und Schleierkraut – standen bis zum letzten Tag unseres Urlaubs auf dem kleinen Schreibtisch in unserer Kabine. Gertrud schnitt die Stängel jeden Tag neu an und gab frisches Wasser.

Ein Tanzrollator? Als ob ich keinen Herrn finden würde, der mit mir tanzt!

Unsere letzte Woche auf dem Schiff war angebrochen. Du liebe Zeit, die Reise verging so schnell! Wie im Flug. Eigentlich schipperte der Dampfer gemütlich vor sich hin, aber es war immer etwas los, und so rauschten die Tage an einem vorbei. Schon morgen Abend würde es das große Kapitänsdinner geben!

Wie ich am Vorabend so an meinem Lieblingsfleckchen auf dem Oberdeck stand, mal wieder aufs Meer schaute und die Stille genoss, sah ich eine Etage unter mir die Franziska-Beatrice. So ein liebes Mädel! Wie die hier alles im Griff hatte und jedem ein offenes Ohr und ein freundliches Lächeln schenkte, das beeindruckte mich. Ich ging gern ganz für mich allein ein bisschen auf das Deck und blickte auf die Wellen hinaus oder manchmal sogar nachts auch in den Sternenhimmel.

So schön es auch war, eine Freundin wie Gertrud auf einer solchen Reise an seiner Seite zu wissen – man muss sich seine Freiräume lassen und sich auch mal aus dem Weg gehen können. Und zwar nicht erst, wenn man sich schon gegenseitig auf den Geist geht, sondern sozusagen vorbeugend. Glauben Se das einer alten Frau. So stand ich an der Reling, genoss die Ruhe und schwelgte in Gedanken an zu Hause. Wie es wohl Ilse und Kurt ging? Und Stefan und

Ariane und der Lisbeth? Die Kleine hatte gerade die Mandeln rausgenommen bekommen, kurz bevor wir abgereist waren. Bestimmt war alles gut, wissen Se, Kinder stecken so was ganz schnell weg, weil sie nicht so viel grübeln!

Eine Frau, die ich noch nie zu Gesicht bekommen hatte, aber die offenbar etwas zu sagen hatte, kam auf Franziska zu. Sie trug eine weiße Bluse mit ganz vielen Streifen und Sternen auf ihren Schultern, bestimmt eine Admiralin oder so was. Auf jeden Fall sehr wichtig. Die Franziska nahm Haltung an und grüßte sie höflich. Ich verstand nicht alles, was sie ihr erzählte, aber ein paar Gesprächsfetzen drangen zu mir hoch. «Wir müssen für das Kapitänsdinner noch eine kleine Änderung ... die müssen unbedingt an den Tisch vom Käpt'n ... doch, keine Diskussion! ... sie reist inkognito ... Konsulin aus Sansibar ... hat jahrzehntelang eine Privatklinik als Lungenspezialistin in Spandau betrieben ... der Käpt'n besteht darauf. Potter, Frau Dr. Gertrud Potter, Kabine 2442. Franziska, Sie arrangieren das ...»

Ach du heiliger Bimbam! Mir wurde heiß und kalt. Das hatte Gertrud nun davon, dass sie so auf den Putz gehauen hat! Am Kapitänstisch sollten wir sitzen, nee, mir wurde ganz blümerant in der Magengegend – und das, wo der Korn zur Neige ging! Gertrud hat doch überhaupt keine Tischmanieren und kratzt sich an der Tafel das Essen aus den Zähnen mit dem Zahnstocher. Man muss schon dankbar sein, wenn sie das Gebiss dafür im Mund behält. Ich würde sie schwören lassen, kein Besteck in die Handtasche ...

Gertrud, der ich natürlich sofort die Nachricht überbrachte, als ich in unsere Kombüse zurückkehrte, war nicht mal beeindruckt.

«Da werden die Bömmelmanns aber staunen. Meinst du, dass der Kapitän uns auch zum Tanz auffordert, Renate?» war alles, was sie mir entgegnete.

Am nächsten Tag blieben wir auf dem Schiff und gingen nicht mit an Land. Wir hatten genug Ruinen gesehen. Alle Reiseandenken waren gekauft und die Postkarten verschickt: «Das Wetter ist gut, das Essen schmeckt, wir haben schöne Tage! Hoffentlich ist zu Hause alles in Ordnung? Bald sind wir ja zurück, dann müssen wir telefonieren! Gruß Gertrud und Renate» – was man halt so schreibt.

Um vier am Nachmittag waren wir bei Kathrin zum Frisieren vorgemerkt. Da war ein Trubel! Die Damen standen Schlange, weil sie alle manierlich auf dem Kopf aussehen wollten an so einem besonderen Abend. Aber auf die Idee, sich anzumelden, kommen die ja nicht. Was meinen Se, wie Gertrud und ich böse angeguckt wurden, als wir an allen vorbei zu Kathrin auf den Stuhl marschierten.

«Setzen Sie sich hin, ich bin gleich bei Ihnen, Frau Bergmann!», säuselte sie, und als ich mich rasch in den Frisierstuhl plumpsen ließ, um keine Zeit zu vertrödeln, flüsterte sie ganz leise: «Nur nicht hetzen. Ich werde hier nach Stunden und nicht nach Akkord bezahlt. Wir machen erst Sie und dann die Frau Potter flott, und zwar in aller Ruhe.»

Sie legte mir den Umhang um und wandte sich an Gertrud.

«Die Frau Potter aus Kalkutta», sagte sie und zwinkerte ihr zu. Das war nun also bis zu ihr vorgedrungen.

«Nee, nicht Kalkutta …», entgegnete ihr Gertrud, aber noch ehe sie Kathrin hätte aufklären können, verbesserte sie sich.

«Sansibar. Entschuldigung, das habe ich verwechselt. Man spricht ja auf dem ganzen Schiff nur von Ihnen! Sie sind an den Kapitänstisch eingeladen, stimmt das? Da muss ich Sie ja besonders schick machen heute!»

Ich nippte am Sekt, den Kathrin gebracht hatte. Erst wollte ich ablehnen, aber da Gertrud einen wollte und Kathrin so drängte, trank ich auch mit. Sie kennen ja mein Motto, oder? «Lebe glücklich, lebe froh – im Jenseits gibt's kein' Piccolo!»

Wir klärten das Mädel nach zwei Gläschen Spaßbrause auf, wie sich diese Verwechslung entwickelt hatte und dass Gertrud keineswegs die Oma von Felix Krull war, sondern dass das alles nur gekommen war wegen ihrer Köchinnen-Hosen. Kathrin bekam einen Lachanfall. Wir wären schon zwei Marken, sagte sie, und dass sie es bewunderte, wie wir in unserem Alter das Leben genossen.

Wissen Se, so ein Gläschen Sekt löst manchmal nicht nur die Zunge, sondern es enthemmt auch, und so spricht sich manches leichter aus.

«Wenn ich sehe, wie Sie trotz Hüft-OP und Seekrankheit das Beste aus dem machen, was das Leben Ihnen hinwirft, das macht mir richtig Mut. Hoffentlich habe ich das Glück, mit dem Altwerden so umgehen zu können wie Sie beide.»

Ich drückte ihre Hand. «Du bist noch so jung, Kathrin. Du startest jetzt erst mal richtig durch in ein neues Leben mit deinem Salon. Alle Gute dafür, mein Mädelchen! Lebe dein Leben und denk nicht so viel nach, schon gar nicht über das Altwerden. Das wirst du nämlich von ganz allein.»

Wir lachten alle drei, doch nun wurde es höchste Eisenbahn für uns. Wir beschrieben Kathrin unsere Kleider, die wir am Abend tragen wollten, und nippten ab und an am Sekt. Schick hatte sie uns frisiert, doch, ich war sehr zufrieden. Die Schneider'sche hatte mir sogar das silberne Diadem mit in die Frisur eingearbeitet, sodass ich damit keine Mühe mehr hatte.

Um acht sollte das Dinner beginnen. So spät esse ich sonst nicht, üblicherweise mache ich mir um sechs meine Schnittchen, und gut is. Wenn man so spät isst, geht man nur aus dem Leim. Ich sehe es ja an der Berber, meiner Nachbarin. Letztes Frühjahr hat sie wieder behauptet, dass über Winter ihre Hosen eingelaufen wären. «Alle zwölf?», habe ich nur gefragt, und da war sie so wütend, dass sie nichts mehr geantwortet hat und vor meiner Tür gar nicht mehr gewischt hat. Sie ist so eine, die glaubt, dass Querstreifen dick machen und nicht doppelt Käse auf ihrer Pizza.

Nee, bis acht konnte ich nicht warten. Wissen Se, ich nehme schließlich Medikamente ein und darf nicht unterzuckern. Der ganze Kreislauf kommt ja durcheinander, wenn man so spät isst! Ich musste einen Bissen vorab in den Magen bekommen und verdrückte einen von diesen Schockoriegeln, die ich gekauft hatte, falls wir mal wieder den Pool für uns haben wollten. Morgen war unser letzter Tag, den würden wir nicht mehr brauchen. Er schmeckte fürchterlich süß, aber immerhin hatte ich was im Bauch.

Wir machten uns ausgehfein, die ganz große Toilette! Ich hatte das Kleid, das Ilse mir geschneidert hatte, selbstverständlich auf einen Bügel getan, damit es sich aushängen konnte. Mit dem Reisebügeleisen wollte ich die letzten Knitter rausmachen, aber ich staunte nicht schlecht, als das Zimmermädchen gleich mit dem Kleid verschwand, wo sie mich mit dem Eisen in der Hand sah, und es in der Wäscherei richtig aufbügelte. Mit Dampfstoß aus der großen Maschine, wissen Se?

Das Kleid sah aus wie geleckt: ein grüner Traum in Seide und Spitze. Der Rock saß tipptopp und auch die Ärmel … ach, ich war begeistert und ließ Gertrud gleich ein Foto von mir knipsen mit dem Händi, damit Ilse es auch sehen konnte, wie wunderbar ihr Modell mir stand! Gertrud hatte weniger Glück. Ihr marineblaues Abendkleid hing müde an ihr runter. Durch ihre ständige Keutzerei in den ersten Tagen hatte sie acht Pfund verloren, und auch wenn man es auf den ersten Blick nicht sah – man sieht ja auch nicht, wenn man sechs Blatt Papier aus dem Telefonbuch rausreißt –, an der Hüfte war deutlich zu erkennen, dass Gertrud kräftig abgenommen hatte. Wir hatten das Kleid reichlich gekauft, weil ich dachte, sie würde wegen des guten Essens eher noch zulegen, aber nun war es ganz anders gekommen.

Aber kein Problem für eine Renate Bergmann, schließlich habe ich immer Nähzeug dabei. Mit ein paar Sicherheitsnadeln an der richtigen Stelle saß das schöne Kleid wieder perfekt. Gertrud sah wunderhübsch aus!

«Jetzt finde ich es fast ein bisschen schade, dass ich nicht auch ein Diadem habe», sagte sie traurig.

«Hör bloß auf, Gertrud, wir dürfen keine Aufmerksamkeit mehr erregen. Sei froh, wenn wir halbwegs unbeschadet aus der Geschichte rauskommen. Wenn die das Ding für die Kronjuwelen von Sansibar halten, wird es noch schlimmer!», bremste ich sie aus. Stattdessen legte ich ihr eine silbern besprühte Brosche, die Kathrin aus Salzteig geknetet und mir geschenkt hatte, an das Revers. Zu Gertruds dunkelblauer Abendrobe und den Pailletten passte das wunderbar.

Als wir gegen halb acht runtergingen zum großen Ballsaal, war da schon ordentlich Trubel. Der Kapitän, seine Frau, die Admiralin mit dem ganzen Lametta auf ihren Schultern und etliche andere wichtige Menschen, die ich entweder noch nie gesehen hatte oder die ich wegen ihrer Seemannsverkleidung nicht erkannte, standen zum Defilee am Eingang und begrüßten jeden Gast mit Handschlag. Besser als Faustschlag, nicht? Hihi. Entschuldigen Se, das war albern, aber ich fand es witzig.

Anschließend knipste Herr Lutschi ein Foto von jedem, dem der Käpt'n die Hand gab. Da wollte ich mal nicht so sein – wissen Se, auf die 20 Euro kam es nun auch nicht mehr an. Als wir dran waren und er abknipsen wollte, schob Gertrud auf einmal den Hintern raus, beugte sich mit der Brust nach vorn und riss den Unterkiefer nach oben. Ich erschrak mich und hatte ein bisschen Angst um sie, aber sie meinte, so sähe man auf Bildern besser aus und es zöge den Hals schön straff. (unter uns gesagt: Sie sieht auf der Fotografie aus, als hätte sie gerade einen Bandscheibenvorfall erlitten, aber das sage ich ihr nicht, ich bin schließlich ihre Freundin).

Der Kapitän Holm-Bertelsen murmelte etwas in seinem dänischen Akzent, was sehr nett klang, aber leider verstanden wir kein Wort. Die Admiralin stellte sich als Ingeborg Seeström-Hageland vor. Sie war die Kreuzfahrtdirektorin. Das klang sehr wichtig, finden Se nicht auch? Sie bewunderte mein Kleid und fragte: «Christian Dior, Paris?», worauf ich verschmitzt lächelte und sagte: «Ilse Gläser, Spandau.» Die Frau Seegras-Helgoland will nun im nächsten Frühjahr zur «Feschnwiek» nach Berlin kommen und sich auch eins machen lassen.

Gertrud und ich waren recht froh, dass wir das Defilee hinter uns hatten, und als Fräulein Franziska uns mit ihrem Klemmbrett winkte, atmeten wir erleichtert auf. Es war schön, ein vertrautes Gesicht zu sehen.

«Bei Ihnen muss ich ja gar nicht in der Liste nachgucken, Sie sitzen am Kapitänstisch. Bitte folgen Sie mir. Dass Sie aber auch nichts gesagt haben, Frau Konsul!», begrüßte sie uns staunend.

«Potter. Potter reicht vollkommen. Man will sich ja nicht in den Mittelpunkt spielen, Franziska.»

Gertrud war wirklich ein gerissenes Ding. Sie schwindelte nicht, sondern ließ die Dinge einfach laufen und genoss die Bewunderung. Hihihi, mein Trudchen!

Am Tisch saßen acht Personen. Der Kapitän, seine Frau, die Seehecht-Gardasee in ihrem Admiralskostüm und dann ... Sie werden es nicht glauben! Da saß auf einmal SASCHA HEHN. Mein Herz klopfte bis zum Hals, als ich ihn sah. Sie wissen ja, ich hatte Gertrud sozusagen mit der Aussicht auf das Schiff gelockt, ihn hier zu treffen, aber ich habe doch keine Sekunde gedacht, dass der wirklich hier wäre!

Mir blieb fast die Spucke weg – aber nur fast. Eine Renate Bergmann ist schließlich nicht auf den Mund gefallen! So eine Gelegenheit hat man nur ein Mal im Leben. Ich buffte Gertrud in die Hüfte und zischte ihr zu: «Brust raus und leck dir den Spinat von den Zähnen, Trudchen, neben dir sitzt Sascha Hehn!»

Gertrud knipste ihr niedlichstes Omalächeln an, nahm Blickkontakt auf und ließ ihre Serviette wie zufällig auf die Erde gleiten. Das macht sie immer, wenn Männer in der Nähe sind. Sie bückte sich so gewunden nach dem Ding, dass man nichts als Ausschnitt sah. Das war orthopädisch bestimmt nicht zu verantworten!

Herr Hehn verschluckte sich prompt vor Schreck an seinem Champagner und sprang auf, um Gertrud hochzuhelfen. Es gab ein kleines Handgemenge, weil Gertrud sich steif machte und dadurch provozierte, dass er ihr an die Hüfte fasste. Wir waren froh, als wir alle wieder heile am Tisch saßen. Immerhin kamen wir aber so nett ins

Gespräch und plauderten mit dem Fernsehstar. Es wurde wieder eine neue Folge vom Traumschiff vorbereitet, und Herr Hehn fuhr mit, um Drehorte anzugucken. Es waren auch noch andere Leute vom Fernsehen dabei, die aber hinter der Kamera arbeiteten und die ich nicht kannte.

Wir speisten uns bei netter Musik vom Orchester durch etliche Gänge, bevor nach dem Rindsbraten Kapitän Holm-Bertelsen an sein Glas schlug. Er sprach über die schöne Reise, dass wir alle ganz besonders nette Gäste gewesen wären und dass wir nun anstoßen wollten auf das Wohl des Schiffes, auf Sascha Hehn, die Konsulin Potter und auf die Völkerverständigung und die deutsch-sowjetische Freundschaft. Nee, warten Se mal … das bringe ich gerade ein bisschen durcheinander. Das mit der deutsch-sowjetischen Freundschaft hat nicht der Kapitän gesagt, sondern unser Brigadeleiter 1972 auf der Frauentagsfeier. Aber sonst stimmt alles!

Alle prosteten sich zu, und dann war es auch schon Zeit für das Dessert. Sie kennen das bestimmt vom Traumschiff, wenn ganz zum Schluss die Kellner die Eisbomben reinbringen? So war es auch hier. Die Lichter wurden ausgemacht, die Kapelle spielte einen Trommelwirbel und einen Tusch, und dann wurden die Eistorten reingetragen – mit Wunderkerzen und Marschmusik, und alle klatschten im Takt. Es war so wunderschön! Als die Eistorte an unserem Tisch ankam, war sie zwar schon halb geschmolzen und sah aus wie ein Badeschwamm, aber die Geste zählte.

Mit der Musik wechselten sie ab. Meist spielte eine Kapelle ohne Gesang schöne gediegene Musik zum Essen, die nicht störte, aber einen doch ab und an mitsummen ließ. Dazwischen gab es auch Lieder vom Band. Als der Kapitän Gertrud dann zum Tanz aufforderte, konnte ich das Leuchten in ihren Augen sehen. Sie errötete und ließ sich auf die Tanzfläche führen. Sie hätten mal sehen sollen, wie sie sich ihm in die Arme warf und sich führen ließ! Normalerweise will sie immer führen, und ihre Tanzherren hüpfen um sie herum wie die Schafböcke bei der Balz. Sie kennt da nichts, sie steht wie ein Zaunpfahl in der Landschaft und rupft an den Herren herum. Aber beim Kapitän war sie gefügig wie ein Lämmchen.

Sie werden es nicht glauben, wer auf einmal neben mir stand, sich verbeugte und um einen Tanz bat, und ich sage Ihnen, mir wird jetzt noch ganz hitzig, wenn ich nur daran denke: Sascha Hehn! Sie wissen ja, ich habe die Hüfte operiert, und eigentlich hatte ich nicht vor zu tanzen, es ist doch sehr beschwerlich. Aber gibt man einem Herrn Hehn einen Korb? Ich bitte Sie! Wenn ich das im Seniorenverein erzählte, die Weiber würden grün vor Neid! Gisela Zwiebeltran hat mal auf einer Kohlfahrt in Oldenburg Karl Dall getroffen, und er hat angetüdelt «Millionen Frauen lieben mich» für sie gesungen, und die alte Frau Espenlaub war damals in der gleichen Reha-Turngruppe wie Günter Strack und hat Bodenturnen mit ihm gemacht. Aber sind Se mal ehrlich, was ist das gegen einen Tanz auf dem Traumschiff mit Sascha Hehn?!

Er sprach nicht viel, aber er tanzte wie eine Feder. Ich

rechnete kurz nach, dass er ja nun auch gut über die 60 drüber war … wissen Se, was sind schon 20 Jahre Altersunterschied unter Freunden? Diese Madonna, die hat auch jüngere Kerle, viel jüngere! Und als der Heesters ein Kindchen geheiratet hat, das seine Enkeltochter hätte sein können, da hat auch keiner was gesagt. Aber noch ehe ich überhaupt überlegen konnte, klatschte Gertrud ab, und wir wechselten. Der Kapitän war auch eine Wucht, was das Tanzen betraf! Gertrud hing selig strahlend im Arm vom Herrn Hehn. Aus dem Lautsprecher erklang:

Ein Viva la vida, ein Hoch auf diesen Tag,
weil ich das Leben so mag.

Ach, und das stimmte!

Die Herren führten uns an den Tisch zurück. Es war eine rauschende Ballnacht, und wir blieben bis nach elf Uhr! Bevor wir in unsere Kabine gingen, guckte ich mich neugierig nach Lutschi, dem Fotografen, um. Wehe, wenn der nicht den Tanz mit Kapitän & Hehn fotografiert hatte! Aber er zwinkerte mir zu und zeigte mit dem Daumen nach oben.

Am nächsten Morgen holte ich die Fotos ab. Dieses Mal einigten wir uns schnell auf einen Preis, mit dem wir beide leben konnten, und ein weiteres Paar Topflappen legte ich noch obendrauf. Über Topflappen freut sich ja je… ach, ich wiederhole mich schon wieder.

Zu Hause ist es doch am schönsten. Und man kann auch mal ohne Zähne rumlaufen!

Am allerletzten Tag unserer dreiwöchigen Kreuzfahrt machten wir in Mallorca halt, von hier würde es zurückgehen.

Ach, es war so ein schöner Tag. Heute würden wir noch mal auf dem Schiff schlafen und morgen nach dem Frühstück mit dem Flugzeug nach Berlin zurückreisen. Sowohl Gertrud als auch ich waren traurig, dass die schöne Zeit so schnell rumgegangen war. Aber so ist es ja immer, alles Schöne verfliegt. Schon die olle Knef hat gesungen: «Das Glück kennt nur Minuten.» Man kann es nicht festhalten, umso wichtiger ist, dass man es auskostet. Natürlich freute man sich auch wieder auf zu Hause, aber trotzdem.

Was wir alles erlebt und gesehen hatten! Das konnte uns keiner mehr nehmen, die Erinnerungen an diese wunderbare Reise waren tief in unserem Gedächtnis eingebrannt – hoffte ich zumindest. Sie wissen ja, was das Alter einem alles nimmt. Am Ende hatten wir so viel Geld für die Fahrt bezahlt, und dann werden wir tüdelig, und nächstes Frühjahr wissen wir gar nicht mehr, dass wir überhaupt verreist waren?

Aber darüber wollte ich mir gar nicht den Kopf zerbrechen. Wissen Se, man muss den Moment genießen, denn das ist das Einzige, was einem keiner nehmen kann. Die Vergangenheit ist flüchtig, und von einer Zukunft will eine olle Frau von 82 Jahren nun gar nicht reden. Aber das Hier und Jetzt, das haben wir, und das gilt es zu genießen. Deshalb war es richtig, dass wir den Urlaub gemacht haben, trotz Gertruds Keutzerei.

Wie immer waren wir nach unserem Rundgang auf Mallorca pünktlich am Bus. Urlaub hin oder her, eine Renate Bergmann hält Disziplin und ist pünktlich! Die Franziska-Beatrice war schon da und atmete erleichtert auf, als sie uns sah.

«Frau Bergmann, Frau Konsul Potter … wo habe ich Sie denn … hier. Vorbildlich wie immer. Hatten Sie denn einen schönen Tag auf Mallorca?»

Gertrud sprudelte gleich los: «Au ja, es war wirklich ein schöner Abschluss. Die traumhafte Landschaft, das Meer, der Ausblick – und wir haben in einer spanischen Gaststätte Fisch gegessen! Die sprachen kein Wort Deutsch, aber sie brachten uns eine Fischplatte, ich sach Ihnen, da kann selbst das ‹Gastmahl des Meeres› nicht mithalten. Lecker und reichhaltig. 1a! Ich brauche heute kein Abendbrot, gucken Se, ich musste schon den oberen Knopf von der Hose aufmachen …»

Ich rollte Gertruds Bluse diskret wieder runter und lächelte der Franziska um Verständnis flehend zu.

«Das freut mich sehr für Sie. Ich muss Ihnen jetzt mal was gestehen. Am Anfang hatte ich Angst, dass Sie beide vielleicht schwächeln und die Reise eventuell nicht durchstehen würden. Aber Ihre Energie ist beneidenswert. Sie

waren auch nie zu spät und nie am falschen Bus wie ...
NUN GUCKEN SIE SICH DIESE IRRLÄUFER WIE-
DER AN!»

Die letzten Worte zischte sie durch die Zähne, und ihr
Blick deutete rüber an den grünen Bus, wohl gut 100 Meter von uns weg, in den gerade Gittl und Herbert einsteigen wollten. Franziska presste sich ihr Klemmbrett mit
der Abhakliste vor die Brust und rannte los.

«Sie warten hier!», rief sie uns noch zu, bevor sie im
Laufen schrie: «Familie Bömmelmann! Bleiben Sie stehen! Nicht einsteigen! Der ROTE Bus ist unserer, Herr-
gott, das habe ich doch dreißigmal gesagt!» Sie schimpfte
Gittl und Herbert laut und ziemlich böse aus. Gittl kriegte Angst und schmiegte sich an Herberts Arm, aber an
dem prallte das alles ab.

«In den Bus an der Palme, haben Sie gesagt. Und hier
ist die Palme!»

«Herr Bömmelmann, die ganze Insel ist voller Palmen.
Sie können nicht in einen beliebigen Bus einsteigen, der
da zufällig steht. Dieser Bus ist grün! Unser Bus ist rot!
Kommen Sie jetzt bitte ... FASSEN SIE DAS NICHT
AN!» Gittl wollte gerade eine Ecke von dem Kaktus ab-
knipsen, der am Straßenrand wuchs. «Sie reißen sich noch
einen Stachel ein, und ein vereiterter Zeigefinger ist das
Letzte, was wir jetzt brauchen.»

Franziska brauchte dringend ein paar Tage Erholung.
Sie kam mit den Bömmelmanns zu uns, und an ihrem
Blick konnte man sehen, dass Reiseleiter-Hausdamen-
Hostess wohl ein sehr anstrengender Beruf sein musste.

Man sah ihr die Strapazen der letzten Wochen an, und auch wenn wir an die schönsten Orte dieser Welt gereist waren – für sie ist das kein Zuckerschlecken gewesen. Ich würde ihr beim Verabschieden ein ordentliches Trinkgeld geben. Ein Fünfziger musste drin sein, doch, das war angemessen. Das ist fast eine ganze Mark!

Sie schickte die Bömmelmanns in den Bus und wies sie an, sich nicht vom Platz zu rühren. Gertrud und ich durften noch draußen warten, die schöne Sonne genießen und ihr beim Abhaken zugucken. Als sie mal eine kleine Pause hatte, kam sie zu uns auf die Seite, zwinkerte uns zu und sagte: «Ich habe noch eine Überraschung für Sie beide.» Mir wurde ganz blümerant, wissen Se, Überraschungen mag ich gar nicht. Die sind der natürliche Feind des Blutdrucks. Meist taucht dann Frau Schlode mit dem Kinderchor auf, und eine Horde kleiner Sangeselfen brüllt mir «WIR KOMMEN ALL UND GRATULI-HI-HIEREN» entgegen.

Auch Gertrud war aufgeregt, und wir drängten Franziska, uns zu sagen, was die Überraschung war, um gegebenenfalls einschreiten zu können. Und nun passen Se auf: Die Kathrin Schneider, die nette Friseurin vom Schiff, die mit Kirsten zur Schule gegangen war – Sie erinnern sich doch, oder haben Se nicht richtig aufgepasst? Dann lesen Se noch mal nach auf Seite 103! –, die Schneider'sche hatte ihre Beziehungen spielen lassen und was für uns olle Schachteln enga… derang… arrangschiert. Sie hatte mit der Franziska-Beatrice abgesprochen, dass wir abends ausnahmsweise noch mal von Bord dürfen, also vom

Schiff runter, während die anderen zu Abend aßen. Gertrud und ich waren so pappsatt vom leckeren Fisch, wir konnten gut auf das Abendbrot verzichten und waren bereit für einen Ausflug mit der Kathrin.

Zunächst jedoch fuhren wir mit den anderen zurück zum Dampfer, wurden etliche Male gezählt und auf Listen abgestrichen und mussten uns zweimal die Hände desinfizieren, bevor wir in unsere Kajüte durften. Wir machten uns nur ein bisschen frisch, genehmigten uns einen Korn, damit der Fisch auch gut schwimmen konnte – hihi! –, und schmierten uns gegenseitig mit Hautmilch ein (dieses Mal guckten wir ganz genau, dass das kein Selbstbräuner war!). Man muss so aufpassen, dass man keinen Sonnenbrand kriegt! Auch wenn es nicht brizzelt auf der Haut – schmieren, schmieren, schmieren. Das beugt vor. Gertrud zog sich den Rock mit dem Dehnbund an, sie hatte so einen Blähbauch, dass ihre weißen «Frau-Doktor-Hosen» gar nicht mehr zugingen.

Es war schon fast acht, als Kathrin an die Tür klopfte. Wir waren ganz hibbelig, wie Stefan immer sagt, wenn man nervös ist. Bei Gertrud merkt man das daran, dass sie ihren Ehering hin und her dreht. Wenn es ganz schlimm ist, versucht sie ihn sogar abzuziehen, was aber nicht geht. Sie kriegt ihn seit über 30 Jahren nicht vom Finger. «Ach du je, ich hoffe, Sie haben nun keine zu hohen Erwartungen. Ich habe gar nichts Besonderes mit Ihnen vor. Nur ein bisschen am Strand spazieren und der Sonne beim Untergehen zusehen ... hoffentlich haben Sie kein Ständchen mit einer Kapelle erwartet», scherzte Kathrin, und

ich versicherte ihr, dass ein Ständchen nun wirklich …
also, dass das überhaupt nicht sein musste.

Unser Schiff lag im Hafen, und in der einsetzenden
Dämmerung sah es irgendwie noch größer aus als tagsüber. Die Bulläuglein waren teilweise schon beleuchtet,
und während wir im Taxi davonfuhren, verschwamm es
hinter uns zu einem Schwibbogen im Wasser. Wir hatten
Mai, und kurz ging ich im Kopf durch, für wen ich noch
Weihnachtsgeschenke besorgen musste. Das wurde langsam immer dringlicher, Weihnachten ist schneller ran, als
man denkt. Die meisten Präsente hatte ich selbstverständlich bereits in der Schublade in der Kommode liegen, eine
Renate Bergmann ist nämlich keine, die da erst auf den
letzten Drücker losrennt zum Einkaufen. Für Stefan war
es in diesem Jahr schwer, etwas zu finden. Vielleicht würde ich ihm den schönen Strickpullunder machen, den ich
mit Ilse neulich beim Durchblättern in «Burda Maschen»
gesehen hatte. Sie wollte ihn zwar auch für Kurt stricken,
aber Männer sind da ja nicht so zickig wie Frauen, wenn
zwei mal das Gleiche tragen. Wir würden uns auch ab-
stimmen mit der Farbe. Für Stefan vielleicht Blau und für
Kurt Tannengrün? Ich würde das gleich nächste Woche
mit Ilse besprechen müssen.

Das Taxi fuhr gar nicht lange, gerade mal zehn Minuten. Es hielt nicht weit vom Strand, kaum dass wir
200 Meter gehen mussten. Als Kathrin bezahlte, merkte
sie, dass das ihr letztes Geld war. «Sie können schon mal
vorgehen zum Wasser, wenn Sie wollen. Ich suche nur
schnell einen Geldautomaten und komme gleich nach.»

Sie verschwand, und Gertrud und ich gingen durch den Sand Richtung Meer.

Es war atemberaubend schön, sage ich Ihnen. Der Strand war menschenleer. Man hörte das Meer brausen, aber ganz leise, denn es war ein lauer Abend ohne Wind. Im Grunde war es kein Brausen, sondern eher ein Flüstern der Wellen. Die Sonne war noch zu sehen am Horizont, aber sie senkte sich von Minute zu Minute tiefer, um schon bald ins Meer einzutauchen und zu verschwinden.

Gertrud stand einfach nur da und sagte gar nichts. Irgendwann rollte sie die Strumpfhose unter ihrem Rock runter und sagte: «Hilf mir mal, Renate. Stütz mich ab.» Sie fuddelte die Nylons von den Füßen, strahlte mich an und rief mir zu: «Los, du auch! Runter mit den Strümpfen!»

Ich musste mich in den Sand setzen, wissen Se, mit einer Hüfte aus Titan … ich bin dankbar, dass ich gehen und sogar ein bisschen tanzen kann, aber auf einem Bein im Strandsand eine Thrombosestrumpfhose ausziehen – das war ein bisschen viel. Zumal wir gerade erst einen Verdauungskorn getrunken hatten! Gertrud half mir wieder hoch, und wir gingen zum Wasser und spazierten den Strand entlang. Immer genau an der Naht, an der das Meer den Sand küsst. Das Wasser kitzelte uns an den Füßen. Es war so schön lauwarm, die Sonne hatte es den ganzen Tag lang erwärmt.

Während wir untergehakt spazierten, kam auf einmal eine kleine Welle und spritzte uns bis hoch zum Rocksaum nass. Wir lachten auf und wichen vorsichtig zurück.

Gertrud hielt ganz kurz inne, schaute aufs Meer hinaus, wo tatsächlich vor der untergehenden Sonne ein paar Delfine hüpften, dann zwinkerte sie mir schelmisch zu.

«Los, runter mit dem Rock, Renate.»

Gertrud zog auch die Bluse aus, was bei ihr sehr schnell geht, denn sie hat oben immer mehr Knöpfe offen als andere Damen unseres Alters. Schwuppdiwupp stand sie im Unterrock vor mir, und ich dachte so bei mir: «Was ist schon dabei, Renate? Wir sind im Urlaub. Und es sieht dich keiner, der dich kennt!» Ich zog mich ebenfalls bis auf den Unterrock aus, es war ja eh schon alles nass.

Wir gingen ins Meer, bis wir bis zum Bauch im Wasser standen.

«Pass auf, jetzt kommt eine Welle!», rief Gertrud, und bei «Eins, zwei, hoooooch!» hüpften wir, an den Händen gefasst, los. Das Meer trug uns weich auf seiner Welle, und für einen Moment fühlten wir uns fast schwerelos. Es nahm die Last des Alters, die im Alltag doch manchmal drückt. Kein Rücken zwickte, kein Knie und keine Hüfte. Da standen wir nun im Meer vor Mallorca, zwei olle Weiber von über 80 Jahren, und hüpften wie die jungen Backfische mit den Delfinen um die Wette in den Sonnenuntergang. Als die Sonne genau am Horizont stand und ins Meer einstippte, gingen wir zurück an den Strand.

Gertrud fragte: «Was haben wir eigentlich heute für einen Tag, Renate?»

«Das ist unser letzter Urlaubstag, Trudchen.»

«Das weiß ich. Ich meine, was für ein Datum heute ist.»

«Ich glaube, der 25. Mai. Warum ist das denn wichtig?»

Gertrud ergriff meine Hand und drückte sie ganz fest. Von ihren Wangen perlten Tropfen, und ich glaube, das war nicht nur Meerwasser.

«Wenn ich mich mal erinnern möchte, welches der schönste Tag in meinem Leben war, dann will ich doch wenigstens wissen, was für ein Datum das war.»

Weitere Titel von Renate Bergmann

Renate Bergmann
Wer erbt, muss auch gießen
Die Online-Omi teilt auf

«‹Wenn die Kinder klein sind, gib ihnen Wurzeln, wenn sie groß sind, gib ihnen Flügel.› Meine Erfahrung ist, dass sie Geld immer gern nehmen.»

Unsere Online-Omi kommt zu Reichtum, den es vor Tochter Kirsten zu schützen, mit Gertrud, Ilse und Kurt zu feiern und mit Stefan und seinen Liebsten zu teilen gilt. Nebenbei greift Renate die ganz großen Fragen des Lebens auf: Wer bekommt welche Sammeltasse? In welcher Leibwäsche sollte man bestattet werden? Und ist eine neue Liebe wirklich wie ein neues Leben?

208 Seiten

Ro 426/1

Weitere Informationen finden Sie unter www.rowohlt.de

Renate Bergmann
Das bisschen Hüfte, meine Güte
Die Online-Omi muss in Reha

Hinfallen, aufstehen, Körnchen trinken

Renates Rollator rollt und rollt, aber nicht vollkommen rund: 82 Jahre, 4 Ehemänner und 3000 Flaschen Korn haben Spuren hinterlassen, jemand muss an die Hüfte ran – und Renate deshalb ins Krankenhaus. Und weil so ein Mensch ja kein Koyota ist, dem man einfach ein neues Ersatzteil einbaut, geht Renate im Anschluss an die Ohpee dahin, wo es weh tut, zu den Bandscheiben und Raucherecken, zu den Kurschatten und höhenverstellbaren Betten: in die Reha, die sie kurzerhand zur Kur erklärt und rockt.

256 Seiten

Ro 427/1

Weitere Informationen finden Sie unter www.rowohlt.de

MIX
Papier aus verantwor-
tungsvollen Quellen
FSC® C083411

Das für dieses Buch verwendete Papier ist FSC®-zertifiziert.